POURQUOI PAS
LE BONHEUR?
OU L'ART DE VIVRE HEUREUX
PAR LA PENSÉE POSITIVE

MICHÈLE MORGAN

POURQUOI PAS
LE BONHEUR?
OU L'ART DE VIVRE HEUREUX
PAR LA PENSÉE POSITIVE

Libre Expression

Maquette de la couverture:
France Lafond

Photo de la couverture:
Patrice Puiberneau

Tous droits de traduction et d'adaptation
réservés; toute reproduction d'un extrait
quelconque de ce livre par quelque procédé
que ce soit, et notamment par photocopie ou
microfilm, strictement interdite sans autorisation
écrite de l'éditeur.

Dépôt légal:
3ᵉ trimestre 1979

ISBN 2-89111-045-5

Avant-propos

Il y a un an, malgré mon instruction, mes connaissances et mes aptitudes, je ne cessais d'accumuler les déceptions et ma vie me semblait un échec.

Je pleurais très souvent et chaque nouvelle journée me devenait un fardeau. J'en étais même venue à me demander ce que je faisais sur terre tellement je ressentais l'inutilité de mon existence.

Fort heureusement, il me restait suffisamment de foi pour ne pas tout lâcher et je décidai de demander à Dieu son aide et la grâce de rencontrer un guide qui me ferait comprendre le sens profond de la vie. Je cherchais une paix intérieure réelle et permanente.

J'ai donc écrit une prière toute simple et chaque jour je relisais ma demande, espérant avec plus ou moins de conviction un résultat positif. Pourquoi ai-je persévéré malgré si peu de conviction? Je me disais que je n'avais rien à perdre, mais tout à gagner si cela pouvait réussir. Le résultat ne se fit pas attendre. Moins de un mois plus tard je rencontrais le guide désiré. Sans le savoir, j'avais « programmé » notre rencontre.

Depuis, j'ai consciemment « programmé » des tas de choses: j'ai cessé de fumer, j'ai maigri et je maintiens mon nouveau poids sans difficulté, je me suis procuré plusieurs objets matériels que je n'avais pas les moyens de m'offrir, j'ai obtenu de nombreuses grâces spirituelles... etc., et ma vie a pris un tout autre sens.

J'ai partagé cette expérience formidable avec plusieurs personnes qui, elles aussi, ne cessent d'atteindre leurs objectifs en « programmant » leur vie.

Et maintenant, je veux la partager avec vous qui me lisez. N'hésitez-pas, il ne vous en coûtera que quelques minutes par jour et vous verrez votre existence se transformer et atteindrez votre idéal en peu de temps.

Votre subconscient n'appartient qu'à vous,
servez-vous-en dès maintenant
et soyez heureux!

Dédié à Victor Hugo

Table de matières

PREMIÈRE PARTIE

Introduction

De quoi ce livre parle-t-il?

Vous connaissez l'apparence d'un diamant à l'état brut? Il est terne et mat, éteint et sans vie. Quels que soient votre âge, votre sexe ou votre race, vous êtes ce diamant. Oui, vous êtes ce diamant, car sous votre apparence physique se cache un trésor véritable qui ne demande qu'à être exploité pour briller à travers votre regard, votre sourire et vos paroles.

Ce livre n'est pas un traité sur la pensée positive mais il veut vous enseigner à penser « positivement ». Ce n'est pas davantage un bouquin traitant de la puissance de votre subconscient: vous y découvrirez tout simplement à quel point vous pouvez utiliser efficacement ce subconscient pour rayonner autour de vous et acquérir l'« habitude du bonheur ».

Loin de dénier la valeur des théories émises et abondamment répandues sur la « pensée positive » et la « puissance du subconscient », je voudrais, à travers ces quelques pages, vous aider à faire un pas en avant, vous aider à franchir le fossé plus ou moins large, selon le cas, entre la théorie et la pratique.

Vous avez vingt ans, peut-être moins, je dis bravo car vous découvrirez aujourd'hui une connaissance de vous-même ainsi qu'une méthode simple mais réellement efficace pour améliorer votre vie actuelle et celle de demain.

Vous avez trente, cinquante, quatre-vingts ans ou plus, je dis encore bravo car, d'une part, vous serez aussi en mesure d'améliorer votre existence présente et à venir et, d'autre part, de comprendre enfin réellement, et peut-être pour la première fois de votre vie, une foule de questions, d'événements et de situations dont vous avez été le témoin ou même l'acteur principal sans pouvoir saisir le pourquoi de toutes ces particularités de votre vie.

Vous serez enfin en mesure de comprendre pourquoi, dans telle ou telle situation, vous aviez ou n'aviez pas le contrôle; et loin de vous faire regretter quoi que ce soit j'espère simplement que cette connaissance, qui fera la lumière sur votre passé et vous permettra de vivre plus intensément votre présent et votre futur, servira à tous ceux qui auront la chance de vous écouter.

Oui, je dis bien de vous « écouter ». Car plus votre expérience de vie est grande, plus vous en aurez long à raconter après avoir lu ce livre. Des tas d'expériences personnelles vous reviendront en mémoire et tout votre cheminement prendra une nouvelle signification et une explication cohérente viendra illuminer les coins les plus obscurs de votre vie.

Le diamant qui sommeille en vous doit absolument briller de tout son éclat — tel est le prix du bonheur et de la paix intérieure — et soyez certain qu'*il n'est jamais trop tôt ou trop tard* pour effectuer ce travail de polissage.

Sachez qu'il n'est pas une seconde de votre vie où vous ne pouvez apporter chaleur et réconfort autour de vous car tous, qui que nous soyons, nous avons besoin des autres. Même celui qui donne des soins ou s'occupe d'un autre a besoin de cet autre.

L'être humain traverse différentes phases et, de l'enfance à la maturité, il parcourt une longue route jalonnée de joies et de peines.

Pour certains, l'art d'être « positif » ou « optimiste » est en quelque sorte un don inné et leur apporte, sans l'ombre d'un doute, beaucoup de succès et de bonheur.

Mais j'ai constaté que ce don, comme n'importe quel autre don, n'est pas l'apanage de tout le monde[1]. Cependant, pour pallier cet état de fait, j'ai découvert une autre façon, et celle-là à la portée de tous, pour permettre aux « autres » de devenir positifs et aux « positifs » d'orienter et de canaliser leurs énergies afin que chaque individu soit en mesure de faire ses choix en toute connaissance de cause et pour que ce lui soit le plus profitable possible.

Vous me direz qu'il y a de nombreux impondérables et je vous donne raison mais, croyez-moi, la plupart des gens n'utilisent même pas, faute de connaissance, tout le potentiel mis à leur disposition pour mieux orienter leur existence.

Décidez-vous enfin de vivre votre vie, à une place ou à une autre, comme vous le désirez, et surtout en apportant ce rayon de soleil que votre entourage attend de vous.

Prenez le contrôle de votre existence et assumez-vous entièrement et d'une façon autonome car, qui que vous soyez, et quel que soit votre état social, vous avez en vous tous les outils nécessaires pour vivre comme un être « à part entière », libre et indépendant, par conséquent plus heureux et plus ouvert à son entourage.

Et non seulement vous avez ce *pouvoir* mais aussi ce *devoir* envers vous-même, votre famille, la société entière et envers la vie que vous avez eu la chance de recevoir.

Je veux vous livrer simplement une expérience magnifique, vécue, afin que « pensée positive » devienne

---

1. Par contre, comme vous pourrez le lire un peu plus loin, l'habitude du « bonheur » peut s'acquérir.

pour vous « vie positive » et que les notions de conscient et de subconscient vous deviennent aussi familières que vos cinq sens.

Ces notions font partie intégrante de l'être humain et vous avez le *droit* d'en avoir une connaissance pleine et entière pour maîtriser les événements de votre existence.

N'ayez pas peur des mots ou des grandes théories, la réalité, elle, est vraiment simple comme vous le constaterez à la lecture de ce livre.

Que nous soyons familiers ou non avec ces notions, nous vivons tous en leur compagnie, alors autant les analyser et les utiliser de la meilleure façon, n'est-ce-pas?

Les quelques pages qui vont suivre vous donnent une description simple mais très véridique du fonctionnement humain, donc de vous, qui que vous soyez. J'ai volontairement décidé de vous donner une explication brève et simple, même si tout l'appareil psychomoteur d'un être humain revêt de grandes complexités. Par contre, il ne faut pas confondre complexe et compliqué et je crois qu'il est très possible de comprendre en peu de temps comment ce merveilleux phénomène complexe que nous sommes est bâti et de quelle façon il peut travailler, sans entrer dans tous les détails qui s'y rattachent.

À moins d'avoir fait des études bien spécifiques sur le sujet, qui d'entre nous est en mesure d'expliquer en détail la complexité de l'œil ou de la main, et pourtant cela nous empêche-t-il de les utiliser dès notre jeune âge au moment où nous en prenons conscience? Dès que vous aurez pris conscience de ce que vous êtes, vous pourrez effectivement utiliser toutes vos ressources et bénéficer de vous-même au maximum.

Procédé de la pensée[1]

Quoique le corps et l'esprit fonctionnent en interactions continuelles, la science les étudie séparément, comme des entités indépendantes.

C'est une façon plus simple d'aborder cette étude qui nous permet, grâce à cette distinction volontaire, de connaître plus spécifiquement les sphères d'activités de notre corps et de notre esprit dans leurs possibilités respectives.

Je ne parlerai pas ici des fonctions purement physiques que tout le monde connaît assez bien, mais j'encourage quand même chaque personne à approfondir sa connaissance du fonctionnement du corps humain car « connaître son corps » est une étape fondamentale vers la « connaissance de son esprit ».

Quant au processus de la pensée, l'observation et l'étude de l'esprit démontrent que ce dernier accomplit trois fonctions précises pour nous et, par conséquent, se divise en trois parties différentes:

1. L'esprit conscient
2. Le subconscient
3. Le centre créateur

---

1. Notions tirées du livre *Live and be Free thru Psycho-cybernetics*.

1. L'esprit conscient

La partie de l'esprit qui nous est la plus familière est « l'esprit conscient ».

Les principales fonctions de l'esprit conscient sont:

1) La perception d'une nouvelle information de l'environnement par l'« intérieur » de l'individu.

2) L'association d'une information avec les autres informations ou données déjà enregistrées et classées dans la mémoire du subconscient.

3) L'évaluation de cette association en fonction du meilleur intérêt de l'individu.

4) La décision et la direction à prendre (action ou inaction).

Comme vous pouvez le constater, nous dépensons nos heures d'« éveil » à travers quatre fonctions spécifiques:

PERCEPTION
ASSOCIATION
ÉVALUATION
DÉCISION

Le processus est extrêmement rapide, parfaitement exact et toujours basé sur l'information reçue.

Normalement, le processus conduit à une décision (action ou inaction) dans le meilleur intérêt de la personne sauf dans deux cas précis:

a) Le premier cas est l'échec à percevoir l'information (mauvaise vision, mauvaise audition ou toute autre cause possible de modifier la perception);

b) Le deuxième cas conduisant à une erreur serait une fausse information fournie, autant d'une source externe que d'une donnée erronée emmagasinée par le subconscient.

Une chose demeure certaine, c'est que l'esprit conscient s'alimente des données qui lui sont fournies. (Principe GIGO: *garbage in — garbage out*). Par exemple, si vous demandez au préposé à l'information à l'aéroport l'heure de tel vol, et qu'il vous réponde 21 heures, et que vous vous présentez à l'aéroport à 20h30 pour réaliser que l'avion a décollé à 20h, cela signifie que votre action était mauvaise à cause de l'information erronée que l'on vous a fournie.

Plusieurs erreurs semblables se répètent chaque jour à cause de fausses informations, ou encore à cause de l'interprétation erronée d'informations justes, par la deuxième partie de notre esprit (le subconscient).

2. Le subconscient

Les principales fonctions du subconscient sont:

1) Le contrôle de toutes les fonctions automatiques du corps humain telles que le battement du cœur, la respiration, les sécrétions glandulaires... etc.

2) Il emmagasine dans sa mémoire TOUT ce qui arrive à l'individu. Et cette mémoire a la capacité de développer des réactions automatiques que nous appelons « habitudes ».

Un aspect important du subconscient est son « incapacité de discrimination ». Il accepte les « données » telles que transmises par l'esprit conscient. Si la vue consciente est faussée de quelque façon que ce soit, alors les données enregistrées par le subconscient seront aussi faussées.

Je suis très accommodant
(traduction d'un poème de Margaret E. White)

Je ne pose pas de questions.

J'accepte tout ce que tu me donnes.

Je ne fais que ce que l'on me dit de faire.

Je n'ai pas la prétention de changer ce que tu penses, dis ou fais; j'emmagasine tout dans un ordre parfait, rapidement et efficacement, et alors je te retourne le fruit de ce que tu as semé en moi.

Quelquefois tu me nommes mémoire.

Je suis le réservoir dans lequel se brasse tout ce que ton cœur ou ton esprit a choisi d'y déposer.

Je travaille jour et nuit; je ne me repose jamais et rien ne peut m'empêcher d'être actif.

Les pensées que tu m'envoies sont catégorisées et classées et mon système de classement n'échoue jamais.

Je suis vraiment le serviteur qui exécute tes ordres sans hésitation ni critique.

Je coopère lorsque tu me dis que tu es « ceci » ou « cela » et j'agis comme tel.

Je suis conforme à l'image que tu as de toi-même.

Puisque je ne pense pas, n'argumente pas, ne juge pas, n'analyse pas, ne questionne ni ne prends aucune décision, j'accepte facilement les impressions.

Je te demande de « sélectionner » ce que tu m'envoies; mes classeurs sont confus; c'est-à-dire que je te demande de supprimer les choses que tu ne désires pas en retour.

Quel est mon nom? Ah! je pensais que tu le savais!

Je suis ton subconscient.

Entre le conscient et le subconscient, il y a deux lignes de direction:

Du conscient au subconscient

Du subconscient au conscient

L'illustration[1] nous montre le fonctionnement de ce mécanisme de communication.

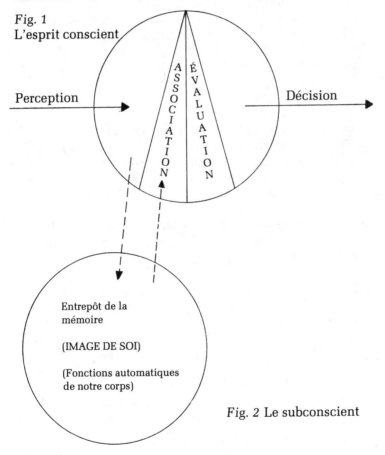

Fig. 1
L'esprit conscient

Perception

Décision

A S S O C I A T I O N

É V A L U A T I O N

Entrepôt de la mémoire

(IMAGE DE SOI)

(Fonctions automatiques de notre corps)

Fig. 2 Le subconscient

---

1. Ces illustrations proviennent du livre *Live and be Free thru Psycho-cybernetics*.

D'une part, le conscient peut transmettre « à volonté » de l'information au subconscient. D'autre part, le subconscient nour retourne de l'information lorsque cela est nécessaire ou que nous le lui demandons expressément. D'où l'importance de la programmation.

Pourquoi est-ce important d'utiliser son subconscient?

Tout simplement parce que sa capacité de travail et sa quantité de connaissances dépassent largement celles de votre conscient. De plus, votre subconscient est la tour de contrôle de toutes les fonctions automatiques de votre corps et il emmagasine toutes les perceptions de vos cinq sens.

En vous limitant à l'utilisation volontaire de votre conscient et à l'utilisation involontaire de votre subconscient, vous vous limitez vous-même dans les résultats désirés pour la réussite de votre vie. En utilisant cette méthode d'« utilisation volontaire » du subconscient vous programmez celui-ci à vous fournir tel ou tel résultat, ce qu'il ne demande pas mieux puisqu'il répond à vos demandes.

Si vous ne nourrissez votre subconscient que d'ingrédients confus, disparates et incohérents, votre vie ressemblera à un puzzle dont les morceaux sont toujours éparpillés à gauche et à droite sans jamais se rejoindre malgré tous vos efforts. Mais si vous lui fournissez régulièrement et avec ténacité des données solides, profondes et génératrices de succès, votre vie prendra un tout autre aspect: les morceaux du puzzle se compléteront comme par enchantement et vous comprendrez enfin comment vous diriger.

Il y a approximativement dix milliards de cellules dans la mémoire de l'esprit humain, chacune capable d'emmagasiner 100 000 différentes parcelles d'information. Chaque événement vécu, chaque vision, chaque son et chaque sensation depuis la naissance s'y trouvent. A l'âge de trente ans, une personne a accumulé en moyenne trois trillions de souvenirs (pour la plupart bloqués par l'esprit conscient).

3. Le centre créateur

Le centre créateur se situe au même niveau que le subconscient duquel nous le dissocions tout simplement pour mieux comprendre son rôle.

C'est, en réalité, une partie du subconscient qui, avant de nous retourner de l'information ou de nous proposer une solution, effectue quatre opérations très précises:

Il maintient la santé.

Il trouve des solutions créatives aux problèmes.

Il motive l'individu vers l'atteinte de ses buts.

Il contribue à développer de nouveaux moyens pour atteindre ces buts.

Cette partie du subconscient qu'est le « centre créateur » fait actuellement l'objet de recherches intensives, et des méthodes spécifiques pour l'utiliser n'ont été développées que depuis une vingtaine d'années.

Les fiches-messages sont une de ces méthodes très efficaces et c'est vraiment la toute première fois, grâce à ce livre, qu'une telle méthode est mise à la portée de tous.

Lorsqu'il n'est pas utilisé d'une manière directive, le centre créateur fonctionne automatiquement. Il réalise les quatre opérations précitées que vous soyez ou non au courant de son existence, que vous le dirigiez ou non.

1) Le maintien de la santé est accompli en grande partie par la thérapie du rêve. Le centre créateur connaît parfaitement les pressions, les tensions et les conflits émotionnels qui vous dérangent.

Il est capable de réduire l'effet de ces réactions sur votre santé mentale par l'intermédiaire du rêve dont vous pouvez vous souvenir ou pas, ce qui n'est d'ailleurs pas important.

2) Trouver des solutions créatives aux problèmes est également une fonction automatique du centre créateur.

Combien de fois n'avez-vous pas eu un problème à résoudre et sur lequel vous avez travaillé des heures sans trouver un solution? Vous avez alors laissé le tout de côté pour vous occuper d'autre chose, et vous avez soudainement obtenu la solution parfaite. La plupart des gens ont très souvent vécu cette expérience: c'est une opération tout à fait normale du centre créateur.

3) Le troisième travail du centre créateur est la motivation. Lorsque vous envisagez un but clairement défini (je parlerai en détail des buts un peu plus loin), le centre créateur exécute un travail extrêmement efficace pour vous y conduire. Ceci ne veut pas dire que vous travaillerez plus fort, mais simplement que vous travaillerez plus intelligemment et de façon plus efficace. Cela signifie aussi que vous « aimerez » le travail qui vous conduira à votre but.

4) Et, finalement, le centre créateur a comme tâche de développer de nouveaux moyens de réalisation. Il vous fournit les « moyens » par lesquels vous atteindrez votre but. C'est probablement la fonction la plus intéressante du centre créateur: son habileté à développer de nouvelles techniques, de nouvelles manières de faire les choses.

Le secret
de la pensée créative

Les idées et pensées originales ne sont pas conçues au niveau conscient mais viennent du subconscient comme « venues de nulle part ».

Lorsque l'esprit conscient se libère d'une question et pense activement à autre chose, l'idée créative émerge. Cependant, elle ne se matérialise pas sans lui avoir préalablement fourni une pensée consciente du problème.

Premièrement, une personne doit rechercher une solution pour activer l'« inspiration ». Il s'agit d'amasser consciemment tous les faits de la situation et d'analyser les différentes possibilités de solution.

Par la suite, il s'agit de se détendre, de penser à autre chose, pour laisser l'imagination du subconscient à son travail.

L'EFFORT CONSCIENT
EST LE PLUS GRAND EMPÊCHEMENT
À LA CRÉATIVITÉ EFFICACE.

Lorsque vous utilisez l'effort conscient, vous restreignez votre mécanisme automatique de succès dans son travail. Attention, je ne parle pas des efforts prévus et déterminés d'avance comme étapes à franchir pour réaliser tel but; cela est tout à fait différent et je vous en parlerai plus loin.

Il a été démontré que, lorsque vous essayez d'utiliser le pouvoir de votre volonté ou que vous faites un effort pour changer vos croyances ou pour corriger certaines mauvaises habitudes, le résultat se révèle souvent plus négatif que positif.

Lorsque la volonté et l'imagination sont en conflit, l'imagination gagne invariablement. Des expériences scientifiques ont démontré qu'une habitude est, en réalité, renforcée lorsque la personne fait un effort de volonté pour la freiner.

La relaxation physique et mentale, pratiquée journellement, procure une détente qui nous aide à contrôler plus facilement notre mécanisme automatique.

Le potentiel humain pour des idées créatrices

Le potentiel de l'esprit humain pour créer de nouvelles idées est illimité.

Chaque « subconscient » est un entrepôt où sont emmagasinés des milliers et des milliers de faits, et ces faits peuvent être réunis dans une infinie variété de combinaisons qui engendrent un nombre infini d'idées.

Pour émettre une idée créatrice, le subconscient sélectionne deux ou plusieurs faits isolés, qui n'ont aucun rapport apparent, et les transmet au niveau conscient mais cette fois en relation les uns aux autres.

Lorsque vous recherchez une réponse originale à un problème spécifique, peu importe la sphère d'activité — en affaires ou dans les arts — vous devez concevoir un résultat. Même si le résultat est obscur et indéfini, vous le reconnaîtrez lorsqu'il se présentera.

Le plus important est de fournir aussi vite que possible à votre subconscient toute information disponible sur le sujet. Puis, vous laissez travailler votre mécanisme automatique qui sélectionnera parmi toutes les données disponibles et trouvera une solution à votre problème.

Lorsque vous vous y attendez le moins ou que vous

pensez à quelque chose sans relation aucune avec le sujet, votre esprit conscient réalise soudainement que vous avez la réponse.

Dans votre recherche pour l'originalité et la créativité, souvenez-vous que cela ne requiert aucun génie spécial mais seulement une autodiscipline pour que l'esprit inconscient fasse démarrer son processus créatif.

Plusieurs sommités, tant scientifiques qu'artistiques, ont expérimenté ce phénomène. Edison, par exemple, prétendait recevoir ses idées d'une source « extérieure » à lui-même. Un jour, alors qu'on le félicitait pour une idée originale, il se discrédita et dit que « les idées planent dans l'air » et que si lui-même n'avait pas découvert cette idée, quelqu'un d'autre l'aurait fait.

Le grand compositeur de musique, Franz Schubert, confiait à un ami que son processus créatif consistait à se « rappeler une mélodie » que personne n'avait déjà entendue. Selon lui, la mélodie existait et il était tout simplement le premier à l'entendre. Son subconscient avait sélectionné et agencé différents sons pour en faire une mélodie « captée » par son esprit conscient.

Il subsiste encore plusieurs inconnus concernant le fonctionnement de l'esprit humain. Ces dernières années les chercheurs ont accompli un pas de géant en ce domaine et ce qui, autrefois, n'était connu ou pressenti que d'une très petite minorité est maintenant mis à la portée de tous. Comme toute grande découverte scientifique, cette connaissance de l'esprit humain vise le mieux-être individuel et collectif ainsi que le développement maximal de nos ressources.

Savoir utiliser la science d'une façon concrète dans sa vie personnelle c'est sûrement s'enrichir soi-même ainsi que toute la société et c'est permettre à chaque individu de participer activement et pleinement à l'évolution de l'humanité.

Pourquoi ai-je écrit ce livre?

Le but de ce livre est de vous aider à devenir une personne efficace et heureuse, non seulement au travail mais dans toutes les sphères de votre vie.

Je veux en quelque sorte vous faire profiter du long chemin que j'ai moi-même parcouru pour parvenir à cet état de bien-être et de satisfaction dans lequel je suis aujourd'hui.

Contrairement à beaucoup de livres débordant de belles théories, celui-ci vous expose avant tout une expérience pratique, basée sur des faits vécus, ainsi qu'une méthode de travail simple, efficace et rapide vous permettant d'utiliser au maximum et d'une façon volontaire votre subconscient.

Je veux que vous réalisiez comment et pourquoi les gens agissent de telle ou telle façon et que vous sachiez, une fois pour toutes, que si vous « voulez » faire quelque chose pour être plus efficace et plus heureux, retirer davantage de la vie, réussir à atteindre vos objectifs, vous « pouvez » le faire.

Mais le plus important n'est pas de connaître les éléments de la réussite, c'est surtout que vous puissiez passer à l'action même si vous n'êtes pas convaincu de la force presque illimitée de votre subconscient; vous réaliserez qu'il suffit d'essayer pour que ça fonctionne aussi pour vous.

Si je réussis à vous convaincre de faire le premier pas, vous inaugurerez dès lors une des périodes les plus importantes de votre vie. Si vous acceptez de « programmer » comme je vous l'explique dans ce livre, le reste de votre vie s'en trouvera modifié.

Je ne suis ni millionnaire, ni célèbre, ni parfaitement comblée et je ne sais pas exactement où tout cela va me conduire, mais je peux vous dire, avec certitude, que si je continue à progresser au rythme de cette dernière année au cours de laquelle j'ai exploité cette méthode, j'ai l'impression que je pourrai connaître des réalisations auxquelles je n'avais même jamais rêvé.

En recourant à la programmation, vous atteindrez vos buts, vous utiliserez votre potentiel au maximum, vous développerez des attitudes qui combleront vos désirs. En quelque sorte, vous deviendrez une « réussite ».

Par ailleurs, je tiens à être claire et précise: le seul moyen d'expérimenter les idées présentées dans ce livre est de les traduire en action; testez-les et jugez à quel point elles sont efficaces. Aucune discussion ou argumentation ne pourra vous convaincre de la valeur de ces théories; mais pratiquez-les pendant au moins vingt et un jours et vous serez en mesure de juger du résultat par vous-même.

Je vous assure qu'en utilisant vos fiches-messages, le résultat sera évident, tangible et rapide. Le temps passé à programmer n'est pas seulement un gage de succès, c'est aussi un investissement pour votre avenir et votre bonheur.

Psychologues, psychanalystes et compagnie

Vous avez sans doute, comme moi, cherché le meilleur moyen de vous comprendre, d'être heureux, d'être bien dans votre peau.

Certaines personnes sont des fanatiques des sports, d'autres s'adonnent avec acharnement à une activité culturelle ou sociale afin d'oublier une sorte d'insatisfaction chronique; certains, plus mystiques, adhèrent à des groupes à caractère religieux et spirituel. Quelques-uns compensent le vide de leur vie en se consacrant à des œuvres où le bénévolat est à l'honneur et, finalement, en désespoir d'imagination, plusieurs aboutissent sur la chaise ou le divan d'« un professionnel de la santé mentale » après s'être adonné à la boisson, aux pilules ou à la drogue sans avoir réussi à jouir de cette paix intérieure tant recherchée.

Eh bien, croyez-le ou non, sans être un monstre, et la drogue mise à part, j'ai fait tout ça!

Ne vous méprenez pas sur mon opinion à l'égard de toutes ces activités; elles n'ont en soi, et vécues de façon modérée, rien de mal et peuvent, au contraire, contribuer à rendre votre vie plus intéressante et riche d'expériences nouvelles.

Mais une chose est absolument certaine: rien de tout cela ne peut vous aider *complètement* à prendre le contrôle de votre vie et à vous rendre *parfaitement* maître de vous-même et de votre destinée. On *a* un destin, mais l'on *fait* sa destinée. Et pour ce faire, il faut utiliser au maximum son potentiel humain: conscient et subconscient.

Toutes ces expériences qu'on croit être la « solution miracle » à tous ses problèmes ne sont, en réalité, que des « béquilles » et des « pis-aller » tant que l'on n'a pas appris à se diriger seul et à exploiter totalement ses ressources.

Après maintes et maintes tentatives, échecs sur échecs, déceptions après déceptions, plusieurs individus finissent par comprendre, ou du moins apprendre d'instinct à utiliser les forces de leur subconscient.

Cela arrive malheureusement presque toujours à la fin de la vie. C'est pourquoi vous entendez si souvent de braves vieillards dire: « Ah! si jeunesse savait et si vieillesse pouvait! » Ils n'ont plus la force physique pour accomplir tout ce qu'ils voudraient. D'autres n'y parviennent jamais et quittent ce monde sans avoir vraiment compris pourquoi la chance ne leur souriait pas.

Pour ma part, j'ai accumulé un bon nombre d'échecs et de déceptions mais, peut-être suis-je née sous une bonne étoile, j'ai eu la « grande révélation » avant même l'âge de trente ans.

Pourquoi? Dieu seul le sait, mais cette découverte m'a tellement changée, comblée et donné la joie de vivre que je me fais un devoir d'en faire part à tous ceux qui m'entourent et de partager cette connaissance si simple et pourtant tellement méconnue par la majorité des gens.

C'est aussi la raison pour laquelle j'ai voulu mettre au point une méthode très pratique. Les livres sur le subconscient et l'art de penser d'une façon positive inondent le marché et pourtant je vois toujours autour de moi autant de gens malheureux, quelles que soient leur fortune, leur condition sociale ou leur instruction.

Mais avant de vous faire « programmer », j'aimerais vous inviter à un retour en arrière, au temps de ces vaines tentatives et de ces déceptions nombreuses que je ne voudrais pour rien au monde revivre aujourd'hui. Actuellement, ma vie est agréable et débordante d'activité et pourtant je n'ai jamais l'impression, comme à l'époque, de chercher une bouée de sauvetage ou un port d'attache susceptible de me sécuriser, de m'étourdir ou de m'endormir.

Je suis bel et bien réveillée et j'entends le demeurer aussi longtemps que j'aurai un souffle de vie.

Les études

L'étude accapare l'esprit humain d'une façon positive mais elle est aussi, trop souvent, une forme d'évasion, une fuite devant la réalité.

Personnellement, je me revois à l'Université alternant d'un cours à un autre comme une automate et me bourrant le crâne à la veille des examens. Déjà, à cette époque, le fait de ne pas connaître les possibilités de mon subconscient m'empêcha de profiter au maximum de cette période d'« ingestion intellectuelle ».

Lorsque l'on n'assimile pas complètement les études poursuivies, quelle que soit la sphère touchée, lorsque l'on n'intègre pas, pour en faire siennes, toutes ces notions apprises et répétées sous pression, on perd un temps précieux. Car cette façon de forcer sans arrêt son conscient sans utiliser ses autres facultés fait vivre l'individu dans un état de « stress » continuel et empêche son épanouissement total, complet.

Voilà pourquoi tant d'étudiants arrivent sur le marché du travail complètement déphasés, perdus, sans aucune idée précise de ce qu'est la vie et des responsabilités qu'implique la nécessité de devenir un être productif et efficace dans la société.

Alors que la pression qui s'exerçait sur moi en tant

qu'étudiante était quand même assez facilement contrôlable, puisque je n'avais que ma petite personne à diriger et à satisfaire, voilà que la pression qui vient de la pratique légale s'avère une tout autre aventure à laquelle je ne m'attendais pas du tout.

Amour, délice et orgue

Pour pallier cet état de choc presque continuel face à ce surmenage imposé par cette nouvelle vie, j'ai tôt fait d'imaginer une échappatoire facile et qui, selon moi, devait résoudre tous mes problèmes, ou du moins une bonne partie: l'amour.

Eh oui! qui de nous n'a pas songé, un jour, qu'avec l'amour tout deviendrait plus beau et plus facile! Mais quelle erreur! Pour une personne en pleine possession de ses facultés et déjà « bien dans sa peau », l'amour est certes un complément agréable et le plus beau sentiment à développer, mais n'oublions pas que l'amour ne se cultive pas sur un terrain de névroses et de complexes.

D'abord, il faut bien le dire, pour aimer quelqu'un il faut savoir s'aimer et s'apprécier soi-même. Et comment s'aimer si l'on ne se connaît pas vraiment et si l'on ne développe pas complètement son potentiel afin d'atteindre le degré d'évolution vers lequel on est appelé?

Ce qui arrive alors, et c'est d'ailleurs ce que j'ai vécu moi-même, est que l'on rencontre quelqu'un d'aussi « pogné » que soi et c'est la complémentarité de deux névroses pour un certain temps.

Tôt ou tard un des deux partenaires ouvre les yeux et réalise que le beau roman n'avait rien d'une solution

39

au problème de « se chercher, se trouver et s'accepter » afin de se réaliser!

Tout comme au temps des études, cette période de « pseudo-amour » m'a permis de fuir encore une fois la réalité et le face-à-face avec moi-même.

Rupture et solitude

Comment envisager la rupture avec le « pseudo-amour » sans perdre les pédales? On se dit que l'on va être seule, mais ne l'est-on pas déjà? Et la solitude à deux n'est-elle pas plus lourde que la solitude avec soi-même.

J'avais beau me répéter tout cela, ça ne passait vraiment pas et, chaque soir, le vide de mon appartement m'apparaissait déprimant et plus difficile à supporter.

Mais les longues insomnies prirent fin le jour où une amie très charitable m'arriva avec la solution miracle: un petit comprimé, minuscule et innocent, et paf! vous voilà endormi pour douze à quinze heures environ.

Mais, évidemment, avant d'ingérer cette merveille pharmaceutique des temps modernes, on ne se prive de rien: un bon petit *drink* style exotique! Après tout, ça goûte seulement le jus et ça ne peut faire tellement de tort.

Erreur, toujours erreur. Il paraît que l'expérience est la somme de nos erreurs! Eh bien, cette fois, mon expérience a failli me coûter cher.

N'eût été de ma très grande amie Diane venue me visiter à l'improviste et qui me découvrit dans « les bras de Morphée » à sept heures du soir, je serais peut-être alcoolique aujourd'hui! Elle me sermonna si bien en vidant dans l'évier de la cuisine tout ce que je possédais d'alcool que je ne pris aucune consommation pour plusieurs mois.

Elle avait « réveillé » non seulement mon corps mais aussi mon esprit, et je lui en suis très reconnaissante.

Evidemment, restaient les fameuses pilules que je pouvais obtenir sans difficulté puisque mon « fournisseur » travaillait dans une pharmacie et n'éprouvait aucune espèce de problème à procurer n'importe quelle quantité de médicaments à tout acheteur.

Rien qu'à y penser, j'en ai encore des frissons. Heureusement, mon subconscient dont j'ignorais même l'existence à cette époque, était quand même aux aguets. Vint un temps où même les pilules n'avaient aucun effet sur moi et les insomnies reprirent de plus belle.

Comme je l'ai compris plus tard, mon subconscient rebelle empêchait alors mon conscient de s'endormir afin de me faire réagir d'une façon ou d'une autre.

Ma première réaction fut le découragement total. Le jour m'était difficile à supporter (je ne m'étais pas encore habituée à mon travail), je ne pouvais m'évader la nuit dans le sommeil et l'amour m'était inaccessible! Que me restait-il à faire?

De vagues idées suicidaires me sont alors venues mais sans dépasser le stade des velléités. J'avais d'abord trop de reconnaissance envers ma mère pour lui faire une telle peine; puis, pour être franche, j'avais quand même au fond du cœur encore trop de foi et d'espoir pour faire une telle bêtise.

J'optai plutôt pour une visite chez le psycho-thérapeute auquel, je l'avoue, je dois une fière chandelle. Et encore une chandelle allumée puisqu'il fut le premier à m'éclairer sur l'existence de cet outil merveilleux qu'est notre subconscient.

Cet homme, pour qui j'ai beaucoup de considération,

m'a aidée à accepter la réalité face à moi-même et face aux autres.

Il m'a expliqué la nécessité d'une vie équilibrée: émotionnelle, intellectuelle et culturelle, si l'on veut se sentir libre et heureux.

Je buvais ses paroles avec autant d'avidité que mes drinks exotiques de jadis et pourtant je n'arrivais pas à mettre en pratique tous ces beaux énoncés. D'ailleurs, expérimenté comme il l'était, il s'en apercut très vite et entreprit de me « jeter à l'eau » pour me forcer à réagir et me faire « vivre » pour la première fois depuis l'âge de douze ans. Depuis cet âge, en effet, je n'étais que « spectatrice » et non « participante » de l'existence.

Mais, il y a toujours un mais, il était devenu pour moi une nouvelle « béquille » et, quoique un peu moins déprimée depuis quelque temps, je ne respirais vraiment bien qu'à l'intérieur des quatre murs de son bureau. Et dire qu'il m'en coûtait un petit quinze dollars pour chacune de ces heures de répit, d'autant plus que mon salaire suffisait à peine à payer mon loyer, mes dettes d'études et les dépenses courantes de la « femme-céliba-taire-libérée-au travail ».

En revanche, cette thérapie, sans m'apporter le bonheur tel que je le vis présentement, a provoqué une nette amélioration de la situation: changement de travail, changement de logis, adieu aux pilules et parfois un petit sourire timide pour masquer l'angoisse persistante au fond de moi.

Mon nouveau travail était moins exigeant et mon système nerveux s'en trouva fort aise.

Quant à mon nouvel appartement, j'avais élu domicile chez une tante très gentille, un peu maternelle et qui vivait seule dans une grande maison. Nouvelle échappatoire: à l'âge de vingt-quatre ans, déjà fatiguée de me prendre en main, je retournais en couveuse, protégée du monde, entourée d'affection mais toujours incapable d'apprécier la vie.

Et là, doucement mais déterminée, j'entrepris de retourner aux sources mystiques de mon enfance. Il faut avouer que pensionnaire durant une bonne douzaine d'années, et chez les religieuses en plus, je possède un fond spirituel profondément ancré en moi et, je l'espère, pour toujours.

Et, telle que je suis présentement, cette partie de mon être est probablement la plus précieuse de toutes, mais à cette époque elle faillit bien m'entraîner sur des sentiers assez tortueux malgré la limpidité apparente de leur paysage.

Religion et sécurité

La foi est un don comme celui de chanter ou de peindre. On l'a ou on ne l'a pas. Personnellement, et c'est ma chance, je l'ai.

Mais que dire lorsque vous avez cette foi et la cultivez tout en étant « bien dans votre peau »! C'est comme l'amour!

Le subconscient pour sa part n'est pas un don attribué à quelques privilégiés. Tout le monde l'a et peut s'en servir. Je reviendrai plus loin sur ce sujet.

À cette époque, je vous le disais, je fis une envolée mystique vraiment superbe. A tout choisir, je préfère de beaucoup cette étape de ma vie que les précédentes puisque je sentais mon âme s'élever au-dessus du commun des mortels et vivais en intense communication avec tous ceux qui, comme moi, participaient à de fréquentes assemblées de prières, suivaient des cours de bible, participaient à des messes spéciales et à une foule d'autres activités religieuses.

Je planais si haut que chaque fois que la réalité m'obligeait à retomber sur terre je voyais ma déception et mon anxiété s'accroître de plus en plus.

Sans perdre la foi, sans renier la religion dans laquelle j'ai beaucoup appris et pour laquelle j'ai un très grand respect, j'eus tôt fait de réaliser que je m'étais servie encore une fois d'une béquille pour m'aider à fonctionner tant bien que mal.

Un ami rencontré par hasard me convainquit alors que je devais manquer de mouvement, d'exercices physiques, d'action quoi!

Ballet-jazz, ballet oriental, c'est parti!

Délaissant peu à peu les fréquentes soirées à caractère purement religieux et spirituel, me voilà en train de suer au ballet-jazz. Ouf! ce n'est pas le ballet classique de mon enfance où j'étais en pleine forme et n'avais pas encore l'habitude de fumer un paquet de cigarettes par jour, et des fortes en plus.

Mais bien vite l'engouement pour ce genre de musique et de danse me laissa une fois de plus insatisfaite. Décidément, je n'aimais rien et chaque jour m'accablait davantage. Je réussis toutefois à me convaincre que j'avais peut-être mal choisi mon activité.

Un peu plus tard, le ballet oriental prit la vedette; il fut aussi éphémère que l'autre, mais il vaudra sans doute un jour à quelqu'un de spécial une petite chorégraphie, question de ne pas tout oublier!

Finalement le badminton me sourit. Cette fois je persévère un peu plus longtemps car je joue avec des collègues de bureau. Ça fait deux ans qu'on me reproche mon manque de sociabilité, je me sens donc obligée de faire un effort supplémentaire. Mais cette nouvelle activité n'a pas, elle non plus, réglé grand-chose.

47

Et à travers tout ça, films, théâtre, conférences, spectacles, mais rien, non rien ne m'apportait ce que je cherchais.

Pourquoi? Tout simplement parce que ma vie échappait à mon contrôle!

Je me suis livrée à toutes ces activités parce que je n'avais rien de mieux à faire. Je ne savais pas exactement ce que je voulais faire de ma vie parce que j'ignorais « comment on peut réaliser ses ambitions. Il était moins frustrant de ne pas savoir quoi faire que de le savoir et de se retrouver en face d'un échec.

Logique, mais terriblement ennuyeux et abrutissant, n'est-ce pas?

Aujourd'hui, je peux danser, prier et jouer au badminton avec beaucoup de plaisir et de satisfaction parce qu'au moment où je le fais j'ai choisi de le faire et j'ai envie de le faire.

Que je me consacre à une activité ou à une autre, ou que je ne fasse rien du tout, que je rêvasse ou que je travaille intensément, je suis « bien dans ma peau », je me sens libre et je sais que je provoque les situations et les événements qui marquent ma vie.

Comment dès lors ne pas être heureuse! Entre ma vie d'autrefois et celle d'aujourd'hui il y a tout un monde!

Nouveau déménagement

J'ai réussi entre deux parties de badminton à quitter le chaud foyer de ma tante-gâteau afin de reprendre ma vie solitaire de femme célibataire et indépendante.

Nouvel espoir: un appartement à décorer, à organiser, à entretenir. Nouvelle mélancolie en même temps: se retrouver seule chaque matin au réveil et chaque soir au retour du bureau. Heureusement naquit à cette époque une belle amitié qui continue toujours de grandir et s'orientera peut-être vers un amour profond et véritable, mais ce beau trésor ne m'apportait pas encore la solution à mes problèmes et je faillis le perdre n'eût-été l'évolution rapide de la connaissance et de l'utilisation de mon subconscient.

Bénévolat

Cette période relativement courte où j'ai travaillé comme bénévole à l'hôpital Sainte-Justine représente certes une très belle expérience mais, là encore, je cherchais une forme de compensation, je voulais me sentir utile et me découvrir une vocation.

De plus, mon désir d'avoir des enfants à aimer et à chérir se trouvait ainsi partiellement assouvi. Je me demande aujourd'hui si je ne cherchais pas davantage ma propre satisfaction que celle des enfants.

Quoi qu'il en soit, mon travail au gouvernement m'appelant assez régulièrement à l'extérieur de la ville, je me vis dans l'obligation de donner ma démission de l'hôpital, mais non sans regret. Il faut croire que c'était là la meilleure solution puisque je m'attachais beaucoup trop à ces petits malades, risquant ainsi de leur faire plus de tort que de bien en leur procurant une attention démesurée.

J'espère revivre un jour cette expérience mais cette fois d'une façon très dégagée et très gratuite afin d'apporter ma contribution à cette œuvre admirable et indispensable auprès des enfants hospitalisés. Le bénévole procure à l'enfant une forme de sécurité en lui permettant de garder contact avec le monde du jeu si important pour lui permettre de s'exprimer. Les enfants ont autant besoin des bénévoles que du personnel hospitalier. Ils adoucissent la rigueur de la maladie, apportent un rayon de soleil à travers les interminables traitements et, bien sûr, libèrent l'infirmière et le médecin de tâches secondaires.

Yoga

Contrairement à toutes autres activités physiques auxquelles j'ai goûté, le yoga fait maintenant partie intégrante de ma vie. Quotidiennement et efficacement, pour ma santé physique et mentale.

C'est une discipline agréable et naturelle, ouverte à tous, jeunes et moins jeunes, facile à pratiquer seul ou en groupe, et qui procure cet équilibre physique et mental recherché par tous.

D'abord le hatha-yoga, celui du corps, des postures, m'apprit une forme de détente et de relaxation jusqu'alors inconnue. C'est peut-être à ce moment que je pris conscience, pour la première fois, de l'existence de mon subconscient et des nombreux obstacles qui se dressaient entre ce dernier et mon esprit conscient.

Nous y reviendrons, mais disons tout de suite que la relaxation du corps est fondamentale pour permettre une action efficace et rapide du subconscient.

Agréablement surprise de découvrir cette partie de moi-même jusqu'alors ignorée, mais une fois de plus découragée par le sentiment de ne pouvoir vraiment saisir et utiliser cette puissante force nouvellement pressentie, je décidai alors de trouver un moyen pour me débarrasser à tout jamais de ces forces négatives, de ces blocages ancrés au fond de moi.

Bonjour, mon cher Freud

A cette époque, j'entrepris de lire à peu près tout ce qu'on avait écrit sur la psychanalyse ou toute forme de thérapie visant à débarrasser l'individu de ce qui aurait pu le marquer aux stades antérieurs de sa croissance jusqu'à l'âge adulte.

Ces lectures m'ont beaucoup renseignée mais plus j'acquérais de nouvelles connaissances, plus je me sentais complexée, bloquée et incapable de vivre mon quotidien et de bâtir mon futur.

Il me vint alors la brillante idée de consulter un psychanalyste, un vrai! Non que je désire déprécier le travail du psychanalyste mais voici, brièvement, ce qu'il me proposa: une analyse complète afin de me connaître, de me débarrasser de tout blocage et de pouvoir enfin vivre avec un sentiment réel de liberté et de bonheur.

— Et tout ce beau travail dure combien de temps?

— Ça dépend de vous, de vos résistances, mais en règle générale, au moins de deux à trois ans.

Et voici le plus tragique de l'histoire: l'analyse ne peut être entreprise qu'à raison de trois visites par semaine et pour la modique somme de cinquante dollars la visite. Je ne suis pas comptable et pourtant la rondelette somme de cent cinquante dollars par semaine se transforma immédiatement en douche froide, quel qu'en fût le résultat escompté.

Evidemment la paix intérieure et la liberté de l'esprit n'ont pas de prix, me direz-vous (et c'est bien ce qu'il me disait aussi), mais les conserverai-je longtemps si je me retrouve criblée de dettes et incapable de m'en sortir pour le reste de mes jours?

Un des plus grands avantages que vous apportera cette élimination des entités négatives ancrées en vous depuis votre naissance est justement cette possibilité d'utiliser tous vos moyens physiques et intellectuels, de même que vos disponibilités budgétaires, pour réaliser vos rêves les plus chers.

Dès lors, rien ne vous empêche de passer à l'action: vous jouissez désormais de tout ce qui vous arrive et que vous provoquez délibérément: travail, voyages, lectures, hobby, rencontres amicales, activités sportives... etc., et votre vie prend un tout autre sens. Comme le dit si bien monsieur Jean-Marc Chaput: « Sur cent personnes, il y en a deux seulement qui sont dans la parade; huit la regardent passer et les quatre-vingt-dix autres ne savent même pas qu'il y a une parade. »

Mais je regrette, sans argent il est plus difficile de s'immiscer dans la parade. Je ne parle pas d'être très riche, mais de là à ne vivre que pour payer ses dettes... et à cent cinquante dollars par semaine durant trois ans, le montant dû (n'oubliez pas les intérêts si vous empruntez) s'élève trop rapidement.

Et même si vous aviez l'argent en main, vous perdez alors un temps précieux à vous pencher constamment sur un passé qui ne reviendra plus et pour lequel vous ne pouvez rien.

A quoi sert de ressasser sans cesse des problèmes antérieurs? A quoi servent les « si » et les « mais » si l'on ne peut vivre son présent d'une façon pleine et entière?

Les freudiens vous répondront que tant et aussi longtemps que ces blocages ou entités négatives sub-

56

sisteront en vous, vous ne pouvez avancer ni atteindre au bonheur. Ils ont raison. Mais il n'existe pas qu'une méthode pour se débarrasser de ces entraves et je vous en propose une, rapide, infaillible, à la portée de tous car elle vous libérera entièrement et non partiellement comme le fait l'analyse (il faudrait plus d'une vie d'analyse pour se souvenir et s'affranchir de tout). (Voir décodage)

Encore là, je recours au principe d'utilisation du subconscient. N'est-ce pas lui qui a tout emmagasiné ces « obstacles » en vous? Alors pourquoi ne pas lui laisser le soin de les éliminer? C'est le moyen le plus logique, le plus efficace et, je le répète, le plus rapide qui soit actuellement connu et appliqué.

Je vous exposerai un peu plus loin cette méthode que j'ai appelée « décodage » et que je vous conseille d'expérimenter avant tout, car, d'une part, vous vous sentirez tellement mieux et, d'autre part, vous aurez la possibilité de « programmer » plus efficacement: ce « petit ordinateur » qu'est votre subconscient aura alors subi un bon nettoyage et sera désormais à l'abri de ces vilaines poussières qui s'y infiltraient avant que vous sachiez vous en servir de façon adéquate.

Désormais, libéré et l'esprit ouvert, vous utiliserez votre subconscient d'une façon volontaire et toujours positive de sorte qu'aucune entité négative ne pourra s'immiscer dans votre univers. Vous subirez des pressions, mais pourrez les contrôler et les orienter à votre avantage au lieu de les laisser vous abattre sans merci.

Ma première
programmation

L'idée de la psychanalyse écartée, je cherche toujours un moyen pour être « bien dans ma peau ». Je me pose sans cesse des questions sur le sens de la vie et de la mort, je cherche ma voie et veux exploiter tout mon potentiel... et l'insatisfaction est toujours là.

J'entends les commentaires des gens de mon entourage: « Elle a tout pour réussir et être heureuse... » Et j'ai envie de leur crier: « Non, je ne suis pas heureuse, non, je n'ai pas tout; il me manque l'essentiel, la connaissance de quelque chose dont je soupçonne l'existence depuis si longtemps et que je ne trouve pas. Mon intuition ne peut me tromper à ce point, je ne suis pas folle, il doit pourtant exister une formule magique, une solution miracle pour que j'en aie si fort le pressentiment. »

L'idée me vint alors — j'en ai fait mention déjà — d'écrire une prière dans laquelle je demandais de rencontrer un guide, quelqu'un qui soit capable de me conseiller, de répondre à mes questions fondamentales, de m'apporter cette connaissance vers laquelle je marchais depuis si longtemps.

Et l'inespéré s'est effectivement produit! Je comprends maintenant qu'il ne s'agit aucunement d'un miracle mais tout simplement du processus normal de la « programmation du subconscient » pour atteindre tel ou tel but, réaliser telle ou telle entreprise, obtenir tel ou tel bien matériel ou spirituel.

Et ce fut le début d'une longue série de programmations qui m'ont conduite de surprise en surprise vers ce que je suis aujourd'hui.

« Pourquoi es-tu tellement surprise, me faisait remarquer un ami, si tu crois réellement au processus? » Il a raison, je ne devrais pas être « surprise », mais chaque fois je suis quand même « émerveillée » de la puissance et de la rapidité avec laquelle mon subconscient travaille.

Vous n'êtes pas « surpris » de voir un beau coucher de soleil et pourtant vous vous émerveillez chaque fois que vous avez l'occasion d'en voir un. Eh bien, vous pouvez multiplier les couchers de soleil dans votre vie en programmant le moindre de vos désirs. Au début, vous serez « surpris », comme moi, et peu à peu la surprise fera place à l'émerveillement devant la découverte de cette grande force qui vous habite et des possibilités illimitées qui sont vôtres.

Je vous donnerai plus loin quelques exemples concrets de programmations mais avant j'aimerais vous expliquer d'une façon claire et précise comment fonctionne votre subconscient. Je n'ai pas l'intention d'entrer dans tous les détails ni d'écrire une thèse scientifique sur le sujet. Je voudrais simplement vous expliquer suffisamment le processus afin de vous rendre apte à utiliser votre subconscient, et d'éviter certaines erreurs que j'ai pu faire et qui ont ralenti quelques-unes de mes programmations.

Pourquoi tant de gens ne réussissent-ils pas?

Vous connaissez sans doute des gens qui semblent avoir tout pour atteindre le succès et, pourtant, ils ne réussissent pas. Ils sont bourrés de talents naturels, possèdent une bonne éducation, ont une personnalité attrayante mais la réussite leur échappe. Pourquoi?

Les gens, sauf de rares exceptions, n'échouent pas à cause de ce qu'ils font mais plutôt en raison de ce qu'ils ne font pas.

La programmation du subconscient est un des principaux éléments du succès, et cependant une bien petite minorité d'individus y recourt « systématiquement » pour atteindre ses fins.

Les gens qui réussissent l'utilisent toujours, mais souvent sans réellement s'en rendre compte. Ils le font d'instinct ou parce qu'ils s'inspirent de l'exemple d'un parent, d'un ami ou de toute autre personne qui a réussi et qu'ils admirent.

Mais il n'y a pas que la programmation qui échappe à ceux qui ne réussissent pas. Il leur manque aussi ce que j'appellerais les petits secrets du succès:

— Des buts bien définis

— Une image claire d'eux-mêmes (connaissance de soi)

— Une méthode efficace de relaxation

Une fois que vous avez fixé les buts à atteindre, que vous vous êtes vu tel que vous êtes, honnêtement, et tel que vous désirez être, et que vous vous livrez quotidiennement à quelques minutes de relaxation, laissant libre cours à votre imagination, vous êtes alors prêt à programmer votre subconscient et à connaître enfin la paix et la réussite.

Des buts bien définis

Les gens ne réussissent pas, ou si peu, dans la vie parce qu'ils « ne savent pas réellement ce qu'ils désirent ». Ils affrontent les événements plus par hasard que par choix.

Lorsque vous arrêterez de « subir » la vie et commencerez à chercher réellement le succès et le bonheur, vous arriverez vraiment « au point tournant ». Il y en a toujours un dans la vie de chaque personne qui a du succès.

Le premier pas vers le succès est donc d'atteindre ce point tournant: vous et vous seul pouvez le faire. L'ampleur du succès ne dépend pas de la somme de talents que chacun possède mais de la quantité exploitée par chacun.

Les buts ou objectifs sont définis pour chacun de nous en termes de devoirs et de responsabilités.

« Le point tournant de votre vie » arrive lorsque vous reconnaissez ces devoirs et ces responsabilités qui sont les vôtres, que vous les aimez et que vous les intégrez à votre vie. Vous acceptez dès lors ces devoirs et ces responsabilités et décidez d'y faire face avec le maximum de vos possibilités.

Vous pourrez accepter vos devoirs et responsabilités lorsque vous vous serez fixé des buts, un plan pour les atteindre, lorsque vous aurez établi une forme de contrôle et aurez développé le pouvoir de la motivation personnelle. Ces deux derniers points seront facilement atteints par la programmation de votre subconscient. Quant aux buts comme tels, c'est à votre conscient qu'il appartient de les déterminer.

Pourquoi vous fixer des buts précis?

Afin d'établir un lien étroit entre votre pensée et vos réalisations concrètes.

Vous ne rêvez plus; vous savez où vous allez et toutes vos pensées, tous vos gestes sont canalisés pour vous y conduire.

Dès lors, votre avancement personnel devient la principale préoccupation de votre vie.

Tout dans votre vie dépendant de votre attitude mentale, il vous faut donc apprendre à la contrôler. En fait, c'est tout ce que vous pouvez « absolument » contrôler. Une fois votre attitude mentale dominée, vous dominez bien d'autres choses.

Lorsque vous prenez la décision de transformer vos désirs et vos rêves en réalités, de faire que vos souhaits se concrétisent et que vos espoirs se réalisent vous venez de franchir le premier pas vers le succès.

Vous avez assimilé en vous le désir de réussir. Chaque fois que vous « programmez » ainsi, votre confiance grandit et vous aide à atteindre les buts convoités. Votre attitude mentale subit un énorme changement.

Désormais, vous aurez foi dans la réussite. Et croire au succès, c'est déjà y parvenir.

A chaque être humain la nature a donné un mécanisme automatique pour lui permettre d'atteindre le succès. Chacun est doté d'une imagination créative et peut se fixer ses propres buts. Ceci est essentiel à qui veut la paix de l'esprit et le bonheur. Vous ne pouvez laisser votre subconscient aller à la dérive.

Vous devez réaliser que vous êtes le seul à pouvoir utiliser de façon efficace ce mécanisme automatique que vous possédez. Ce livre vous enseigne quoi faire et comment le faire. Mais la prise en main de votre subconscient ne dépend que de vous.

De plus, sachez que la meilleure recette pour bien programmer est de s'impliquer émotionnellement et avec enthousiasme sur tout objet de programmation. Pour obtenir quelque chose, il faut être motivé et se voir déjà en possession de l'objet convoité.

Nous possédons tous une puissante force qui nous permet de choisir nos buts, de nous motiver et de les poursuivre avec enthousiasme, et cette force c'est l'imagination.

Toutes les données que vous allez fournir à votre subconscient seront, à l'origine, conçues dans votre imagination. Plus votre imagination vous orientera vers des buts précis et grandioses, plus vos réalisations pourront vous satisfaire. N'ayez pas peur d'imaginer ce qu'il y a de meilleur, laissez votre subconscient y mettre un peu plus de temps, cela en vaut la peine. Si d'autres jouissent déjà de ce dont vous rêvez, pourquoi n'en bénéficieriez-vous pas également?

Constatez la force de la programmation et utilisez-la, même si quelque élément vous échappe dans tout ce processus.

Chaque jour vous utilisez un tas d'appareils plus ou moins compliqués, sans en connaître à fond tous les mécanismes; vous faites alors confiance au manuel d'instructions pour obtenir le résultat attendu. Faites de même avec votre mécanisme automatique interne qui n'attend que vos ordres pour vous obtenir de meilleurs résultats que ceux que vous obteniez avant d'avoir lu les présentes instructions.

Faites comme moi, essayez, et réalisez avec bonheur que ça marche dès qu'on passe à l'action.

L'image de soi-même

Qu'est-ce que l'image de soi et pourquoi est-ce si important?

Sans aucun doute, la clé de la personnalité c'est l'image que l'on a de soi. Toutes nos réalisations sont limitées par la façon dont nous nous percevons nous-même. Dès que notre image est modifiée, notre conduite et notre personnalité en sont automatiquement affectées.

Qu'il le réalise ou non, chacun entretient en son esprit une image de lui-même. Cette image peut être vague ou très précise au niveau conscient, et parfois même complètement ignorée. Mais quoi qu'il en soit, *elle est là* dans ses moindres détails.

Cette « image de soi », c'est la conception personnelle du genre de personne que nous sommes. Elle n'est que le reflet de ce que nous nous imaginons vraiment être. Elle a été inconsciemment bâtie à partir de nos expériences, de nos succès et de nos échecs, de nos humiliations et de nos triomphes, de la réaction des autres à notre égard, spécialement au stade de l'enfance.

A partir de toutes ces expériences, nous nous construisons un « moi », c'est-à-dire une image de nous-même. Lorsqu'une idée ou une croyance à propos de nous correspond à cette image de nous-même elle devient alors « vraie » dans la mesure où nous sommes concerné. Nous ne mettons même pas en doute sa véracité, nous agissons comme si elle était vraie.

Comment se fait-il dès lors, que cette image de soi

devienne un élément essentiel du succès et de la réussite? N'est-ce pas plutôt un cercle vicieux? J'ai une image de moi et j'agis en fonction de cette image; comme j'agis selon cette image, cette dernière se trouve renforcée et perpétuée.

Eh bien non. L'expérience a prouvé à plusieurs reprises deux choses des plus importantes concernant l'image de soi:

1. *Elle est le « plafond » de notre efficacité.*
   C'est-à-dire que nous ne pouvons, malgré tout effort conscient, être plus efficace, avoir plus de succès, être mieux coordonné ou créatif que notre image nous dit de l'être.

2. Mais, et c'est là une grande découverte scientifique de notre siècle, *l'image de soi peut être changée.*

De nombreux exemples vécus nous prouvent qu'il n'est jamais trop tôt ou trop tard pour changer l'image de soi et commencer une nouvelle vie.

Les données de notre subconscient gouvernent l'image de soi et l'image de soi contrôle notre efficacité. Il est alors évident qu'en donnant au subconscient de nouvelles données, une information conforme à ce que nous désirons être, cette image de soi va changer, ce qui se reflétera sur la conduite entraînant ainsi une tout autre vie nous permettant une amélioration sans limite.

Une personne est habituellement supérieure à sa propre conception. Lorsqu'on change l'image de soi, on ne change pas ses dons ni son habileté; en réalité on ne fait qu'utiliser au maximum les talents que l'on possède déjà.

C'est pourquoi la fameuse « pensée positive » dont on nous parle tant aujourd'hui fonctionne si bien pour les uns et pas du tout pour les autres. Ce n'est vraiment rien de mystérieux et surtout pas une question de chance:

lorsque la pensée positive est compatible avec l'image que l'on a de soi, elle fonctionne immanquablement, mais s'il y a incompatibilité, elle ne fonctionne absolument pas.

Aussi longtemps que vous entretenez une « image négative » de vous-même, ne perdez pas votre temps à penser en termes positifs. Je le répète: « La personnalité et la conduite reflètent l'image de soi. Lorsque l'image de soi est changée, tout le reste en est affecté. »

Vous n'avez pas à vous casser la tête pour prévoir comment vous atteindrez cette image. C'est vraiment le travail de votre subconscient: il arrangera pour vous des situations imprévisibles, parfois même farfelues, pour vous faire atteindre cette image.

La façon dont vous voyez le reste du monde importe peu. Tout ce qui compte c'est comment vous vous voyez vous-même. C'est en même temps la façon dont vous voyez les autres. Tout le monde peut grandir et évoluer.

« L'image de soi » revêt une telle importance pour toute la vie que j'ai voulu qu'elle soit la meilleure possible afin d'atteindre le plus haut degré d'évolution auquel j'ai été appelée.

J'aurais pu fournir à mon subconscient de nouvelles données à ce sujet sans me soucier de celles déjà en place. Je ne connais pas les ordinateurs et les machines électroniques de façon particulière, mais je suis certaine que deux programmations contraires entraînent des interférences et causent des problèmes à cette machine qu'est le subconscient.

Voilà pourquoi j'insiste tellement sur le « décodage ». En vous décodant, vous nettoyez la « machine » et recommencez à zéro. Vous élaborez une nouvelle image de vous-même « claire, nette et précise », sans interférence avec l'ancienne, accélérant ainsi le processus d'amélioration de votre personnalité et de vos attitudes.

Quelle satisfaction vous ressentirez d'être enfin vous-même et de sentir que chaque journée est un pas de plus vers la réussite de votre vie! Même les difficultés vous apparaîtront sous un jour nouveau; au lieu de vous abattre, elles vous stimuleront et vous seront un défi.

Vous aurez désormais le goût de relever tous ces défis, petits ou grands, à court ou à long terme, et le plaisir de la détente ou des vacances prendra un tout autre sens car vous aurez le sentiment légitime de le mériter.

Comme vous le savez déjà, tout est relatif. Même le temps: une heure passée en agréable compagnie, ou consacrée à un travail intense, ne passe-t-elle pas plus rapidement qu'une heure perdue à attendre ou à ronger son frein parce que l'on n'est pas satisfait de ce qui nous arrive?

Il en est de même pour le bonheur. La joie et le bonheur que chacun de nous éprouve sont relatifs ou inversement proportionnels à la joie et au bonheur que nous donnons.

Le plaisir que nous avons à nous reposer correspond au plaisir que nous avons à travailler.

La satisfaction que nous avons à dépenser notre argent est relative au plaisir que nous avons à le gagner. Et il en va de même pour chacune des activités humaines.

Ainsi donc, plus l'image de vous-même sera celle d'une personne heureuse, épanouie, comblée, plus vos actions procureront aux autres de la joie et du bonheur et plus vous deviendrez généreux de vous-même et de vos biens.

Remarquez autour de vous les gens satisfaits et vous n'en trouverez aucun replié sur lui-même, l'esprit fermé et égoïste. Au contraire, vous vous rendrez compte que ces personnes ne refusent jamais la communication, n'ont pas peur de relever leurs manches pour aider, sont tolérantes et sont toujours prêtes à écouter l'autre, même si il y a divergence d'opinions. Ces gens ont cultivé une image positive d'eux-mêmes et toute leur vie en est le reflet.

La relaxation

Une fois décodé, comment fournir au subconscient de nouvelles données? Evidemment, en utilisant vos fiches-messages. Du fait qu'elles sont écrites vos programmations se trouvent renforcées.

Comme je l'ai déjà mentionné, votre subconscient prend vingt et un jours, au maximum, pour absorber une donnée quelles que soient les conditions dans lesquelles il reçoit ces informations. Que vous soyez occupé, tendu, stressé ou autrement dérangé, vous pouvez quand même programmer votre subconscient.

Mais le problème à ce moment-là est que vous ne lui donnez pas la chance de donner son plein rendement et, de plus, vous n'êtes pas aussi réceptif et à l'écoute des réponses fournies.

Vous perdez ainsi un temps précieux.

Il y a une autre réalité prouvée par expériences scientifiques: le conscient et le subconscient ne peuvent travailler simultanément sur un même sujet.

Par conséquent, la façon la plus efficace et la plus rapide de programmer est la suivante: vous analysez la situation et déterminez avec votre conscient ce que vous désirez exactement obtenir. Plus votre pensée est claire, nette et précise, plus vous obtiendrez du succès.

La meilleure pratique pour avoir une idée précise et être à l'écoute des réponses fournies par le subconscient est sans contredit la relaxation. « Facile à dire », me direz-vous; et je vous réponds « facile à faire » avec un peu de pratique et « tellement agréable ».

Il existe plusieurs méthodes très efficaces de relaxation. Toutes ces méthodes ont le même objectif: détendre chaque partie de votre corps et vous faire parvenir à un état second dans lequel vous avez l'impression de « flotter ».

La comparaison suivante est très boiteuse, mais à ceux qui n'ont jamais participé à une « détente dirigée » elle donnera quand même une idée de la chose: après quelques minutes (les premières détentes exigent plus de temps, mais après quelques essais vous pourrez facilement y parvenir) vous éprouvez une sensation comparable à l'euphorie ressentie après quelques verres de boisson; vous savez, le moment agréable où l'on se sent si bien, ce moment où l'on est libéré de toute inhibition, de toute angoisse, ce moment où la vie semble si belle, si simple et si confortable. Malheureusement, l'alcool ne procure cet état que durant quelques minutes, bientôt suivies d'un état de fatigue ou de dépression.

L'alcool, en effet, est un élément étranger à notre système et loin de développer nos facultés pour atteindre l'extase, il ne nous laisse que l'illusion d'un tel bien-être.

En revanche, l'alcool vous fait réaliser ces possibilités qui sommeillent en vous et qui ne demandent qu'à être réveillées de façon naturelle, progressive et permanente.

Lorsque vous apprenez comment atteindre un état semblable par la méthode de relaxation, vous n'êtes jamais déprimé, ni physiquement ni mentalement; au contraire, chaque détente vous procure un bien-être qui grandit avec les années.

On s'initie à la détente comme à n'importe quelle autre activité humaine. Il n'y a rien de compliqué en cela, et tous peuvent développer une ou plusieurs techniques de détente.

Ma première technique de détente m'a été enseignée par un ami qui l'avait lui-même apprise d'un médecin très avant-gardiste. Cette méthode est simple et efficace. Vous pouvez l'apprendre avec l'aide d'une personne expérimentée, mais si vous préférez vous y initier seul, cela est possible. Il existe des microsillons et des cassettes expliquant différentes méthodes de détente. A ma connaissance, le microsillon intitulé *La relaxation par le disque avec Marjo* (Arion OP 507) est excellent.

Je vous le répète, il n'y a pas de formule sacrée et

chaque individu peut y aller de sa propre initiative. Il sera utile pour vos débuts d'être dirigé d'une façon ou d'une autre, mais vous pourrez en très peu de temps voler de vos propres ailes.

Voici la méthode telle qu'enseignée par Jean[1]:

1) Installez-vous confortablement dans un fauteuil, dans votre lit, ou par terre si vous préférez.

2) Fermez les yeux.

3) Pensez à chaque partie de votre corps, de façon successive, en vous répétant que le membre précis auquel vous pensez est lourd, très lourd.

Vous pouvez commencer par les pieds ou par la tête, peu importe, mais essayez de suivre un ordre de bas en haut ou de haut en bas.

Exemple. Disons que je choisis de commencer par les pieds: je suis étendu, les yeux fermés et je pense, je me concentre sur mon pied droit. Je me répète mentalement que mon pied droit est lourd, très lourd, lourd comme du plomb. Si j'ai de la difficulté, je contracte mon pied durant quelques secondes et le relâche immédiatement, cela facilite la sensation de lourdeur que je veux faire passer dans mon pied.

Ensuite, je peux faire la même chose avec le pied gauche ou encore passer directement à la cheville droite, puis au genou droit et à la cuisse droite, et ne m'occuper de la jambe gauche qu'une fois la jambe droite complètement apesantie.

4) Quand le corps est complètement « lourd » et « décontracté », prenez de profondes respirations et jouissez durant quelques instants, sans rien faire d'autre, de cette sensation de pesanteur qui alourdit tous vos membres. Imaginez votre sang circulant dans vos

---

1. Monsieur Jean Vandal.

veines, et jusqu'au bout de vos doigts et de vos orteils, à un rythme légèrement accéléré.

5) A ce moment, vous commencerez à vous sentir « flotter », un peu comme si vous étiez étendu sur un pneumatique à la surface de l'eau.

6) Gardez toujours les yeux fermés et visualisez en imagination des transformateurs entourés de tours de lignes reliant les fils électriques. Si vous avez de la difficulté à vous imaginer de tels transformateurs, regardez-en au préalable sur un photographie ou demandez à quelqu'un de vous en montrer en réalité.

Cette étape est importante pour la concentration et vous permettra de capter suffisamment d'énergie pour que vos facultés fonctionnent au maximum.

7) Une fois les transformateurs visualisés clairement, rendez-vous au bord de la mer, toujours en imagination.

Voyez cette vaste étendue d'eau bleue, ou verte selon votre humeur. Voyez et percevez le flux et le reflux des vagues. Sentez vos pieds foulant le sable chaud et n'hésitez pas à vous avancer dans l'eau.

Marchez doucement ou plongez tout votre corps, à votre goût, mais essayez de sentir l'eau salée sur votre peau. Laissez libre cours à votre imagination et passez un agréable moment comme si vous étiez en vacances, libéré de tout souci, en pleine cure de repos et de ressourcement.

(Je dois avouer qu'il est plutôt difficile de communiquer cette méthode, ou une autre, en recourant à une description écrite. Il est beaucoup plus facile de s'initier à la détente dirigée en présence d'une personne expérimentée ou, faute de contact direct, à l'aide d'un microsillon. Certains, plus doués, pourront apprendre très facilement à la seule lecture de cette description. Mais je sais, par expérience, que pour la plupart des gens, ça ne suffit pas pour leurs premiers essais. Je vous conseille donc une aide pour débuter; les résultats seront beaucoup plus rapides et plus encourageants.

Indépendamment de tout désir de programmation ou de recherche sur le subconscient, vous réaliserez que la détente dirigée sera un acquis dans votre façon de vivre dont vous ne voudrez plus vous passer.)

8) Votre visite au bord de la mer terminée, vous pouvez décider de « revenir » immédiatement ou encore, selon le temps dont vous disposez ou votre impulsion du moment, de visiter d'autres endroits ou bien de vous livrer à quelque activité qui vous plaise particulièrement.

Vous pouvez imaginer un endroit de rêve connu de vous seul, ou un « petit coin de paradis » et laisser libre cours à votre imagination: rien n'est trop beau, ni trop grand, ni impossible dans une détente. Tout est permis et réalisable. Rien n'est farfelu ou bizarre. Aucune limite ne doit vous arrêter car vous êtes à ce moment le maître absolu et vous possédez tous les outils pour enjoliver votre décor.

N'allez surtout pas imaginer des choses ou des événements négatifs pour vous ou pour d'autres, ce serait gaspiller votre temps et votre potentiel.

Vous rêvez d'une île déserte, d'un château ou d'une cabane en plein bois, vous aimeriez la compagnie de telle ou telle personne, vous avez enfin cette taille svelte tant convoitée, vous êtes en train de faire une émission de télévision, et pourquoi pas?

Imaginez une situation agréable qui vous plaise, vous dégage du contexte habituel et fasse de vous la personne exceptionnelle que vous désirez être à ce moment précis.

(Cette étape est aussi importante pour l'utilisation maximale de vos ressources. En vous livrant chaque jour à quelques minutes de détente dirigée, vous vous épargnez des heures de travail acharné dans un état d'anxiété ou de simple inquiétude et dans lequel le subconscient travaille moins efficacement.)

9) Et puis vient le temps du retour. Vous faites alors l'inverse de votre concentration initiale. Vous pensez à chacun de vos membres, mais cette fois en les rendant légers à tour de rôle.

Une fois le corps revenu à la normale, prenez deux ou trois respirations profondes, comptez mentalement jusqu'à cinq en ayant à l'idée un réveil progressif mais calme et surtout avec l'intention de conserver cette paix et cette joie intérieures qui vous habitent actuellement.

Au chiffre cinq, ouvrez les yeux, prenez la peine de vous étirer et de sourire puisque vous êtes si bien. Vous venez de vous faire le plus beau cadeau qui soit: la détente!

Désormais, où que vous soyez, vous possédez un trésor impérissable et inépuisable: l'art de vous détendre à volonté.

Et plus vous pratiquerez cet art, plus vous deviendrez virtuose. Et plus vous serez virtuose dans l'art de vous détendre plus vous le serez dans vos programmations. Et ce sont ces programmations qui vous rendront efficace, utile et heureux.

Ne tardez pas à commencer, ne serait-ce que pour goûter au plaisir unique de vous évader à votre gré, où et quand vous le désirez, et d'atteindre sans boisson, ni drogue, ni aucun artifice, des états peut-être alors insoupçonnés par votre corps et votre esprit.

DEUXIÈME
PARTIE

Exemples de programmations vécues par l'auteur

Certains d'entre vous diront, à la lecture des exemples qui suivent, qu'il s'agit de « hasards », de « coïncidences », de « destin » ou autre chose du genre, et je ne les blâmerai pas.

Moi-même, très sceptique au début, de par ma nature ainsi que de par ma formation très rationnelle de juriste, j'ai réagi de la sorte.

Mais il m'a bien fallu admettre, et fort heureusement, que ces « hasards » et ces « coïncidences » se multipliaient à un rythme si rapide dans ma vie et toujours en relation étroite avec mes programmations, qu'il devait s'agir de hasards et de coïncidences d'un genre assez spécial.

Mais qu'importe après tout, me disais-je, puisque ça marche si bien, que je suis heureuse et obtiens d'excellents résultats. A cette époque, je n'avais pas l'ombre d'une intention de communiquer cette précieuse découverte aux autres et de leur expliquer la façon dont fonctionne notre subconscient et notre possibilité de le programmer comme un ordinateur. D'abord, j'étais beaucoup trop occupée à expérimenter ce phénomène dans ma propre vie et, pour être franche, bien qu'épatée des résultats, je n'étais pas encore suffisamment convaincue pour en parler ouvertement comme je le fais aujourd'hui.

Mais, peu à peu, mes amis, témoins de ma transformation physique et psychologique, témoins d'une amélioration de mon caractère, réalisant que j'étais de mieux en mieux dans ma peau et que je respirais enfin la joie de vivre, voulurent en savoir un peu plus long sur la source de ces changements quasi miraculeux.

A ma grande surprise, je n'eus aucun mal à communiquer cette heureuse découverte et je leur expliquai le plus simplement du monde, comme je le fais actuellement, le cheminement que j'avais suivi.

Au fond, j'étais très heureuse de rencontrer quelqu'un prêt à faire l'expérience de la programmation du subconscient. Je désirais, d'une part, rendre mes amis aussi heureux que moi et, d'autre part, m'assurer que tout n'était pas le fruit de mon imagination.

Il serait évidemment trop long de vous décrire chacune des programmations que mes amis et moi avons faites et réussies plus ou moins rapidement, selon le cas. Il y a aussi, bien sûr, des à-côtés très personnels que je préfère conserver dans la plus stricte intimité.

Malgré toutes ces contingences, j'ai tenté de faire une sélection d'événements susceptibles de vous intéresser et surtout de vous démontrer l'efficacité de la programmation. Comme vous le constaterez, le résultat est dû la plupart du temps à des moyens inattendus: un enchaînement de circonstances vous amène au but sans que vous ayez déterminé à l'avance les étapes à suivre, ni fixé un plan d'action.

Vous programmez votre subconscient. Vous cessez d'y penser (je veux dire de vous y concentrer). Survient un événement, ou même une suite d'événements et ça y est, vous avez atteint votre but et obtenu ce que vous désiriez!

L'ordre dans lequel je vous raconterai quelques-unes de mes expériences n'est aucunement chronologique ni prioritaire. Certaines de ces programmations ne furent pour moi qu'une expérience pratique et pour lesquelles le résultat importait moins que la preuve de l'efficacité du système. Je me disais: Si ça marche pour de petites choses, ça marchera aussi pour de plus grandes.

Apparence physique

L'apparence physique n'est certes pas ce qu'il y a de plus important dans la vie d'un individu, mais qui ne souhaiterait pas posséder une apparence agréable et charmante afin de se sentir bien dans sa peau et, il faut bien le dire, plaire aux autres. C'est tout à fait normal et légitime.

Chaque individu possède des qualités physiques bien personnelles et il suffit parfois de peu de chose pour transformer quelqu'un et mettre en évidence ses qualités.

Il n'y a pas, je crois, de critères « standard » de beauté. Une personne est belle extérieurement, tout d'abord quand elle se sent bien intérieurement. Mais il faut bien avouer que la publicité, les revues de mode, le cinéma édictent certaines normes auxquelles nous essayons, consciemment ou pas, de nous conformer pour nous aimer physiquement.

Je ne fais le procès ni de la mode ni des critères en vogue, mais je constate tout simplement que la plupart des gens qui veulent améliorer leur apparence emploient des moyens souvent trop dispendieux pour ce qu'ils peuvent en retirer concrètement.

Je connais des personnes qui dépensent une fortune en traitements et produits de beauté mais qui, en fin de compte, n'obtiennent jamais les résultats désirés et ne se sentent finalement jamais « bien dans leur peau ».

Une des raisons de cet échec est le fait que ces personnes ne se connaissent pas suffisamment; elles essaient plutôt de copier ou de s'identifier à quelqu'un d'autre qu'elles admirent.

De plus, il arrive que ces personnes ne savent pas exactement ce qu'elles désirent modifier dans leur apparence et qui pourrait finalement les satisfaire.

Une troisième raison est que les gens se butent parfois à vouloir changer quelque chose d'inchangeable, y gaspillent temps et énergie sans aucun résultat, alors que ce qui pourrait être amélioré leur échappe complètement.

Finalement et c'est là le drame de tous ceux qui n'arrivent jamais à se transformer, compte tenu de tout ce qu'ils possèdent déjà — certaines personnes tentent, à force de volonté et de détermination, d'obtenir telle apparence qui leur plaît. Malheureusement, lorsque la persévérance vient à manquer, tout est à recommencer.

Prenez, par exemple, le cas des régimes alimentaires. Combien de gens s'acharnent à poursuivre un régime draconien dans l'espérance de perdre quelques livres et tout à coup, n'en pouvant plus, reprennent en quelques jours ce qu'ils avaient mis des mois à perdre!

Combien de femmes dépensent des sommes astronomiques pour soigner leur épiderme alors qu'elles ont un régime de vie auquel la meilleure peau et les meilleurs soins ne sauraient résister!

Alcool, tabac, manque d'exercices physiques, mauvaise alimentation, etc., quels soins esthétiques, aussi dispendieux soient-ils, pourraient remédier à de tels abus?

Votre poids idéal

J'ai moi-même passé une bonne dizaine d'années à suivre de peine et de misère des régimes alimentaires assez contraignants afin de perdre du poids.

J'en ai effectivement perdu, mais en ai aussi immanquablement repris chaque fois, après une plus ou moins longue échéance selon ma ténacité du moment. Mon poids, semblable à un yoyo, montait et descendait avec tous les problèmes vestimentaires que cela peut comporter et je n'envisageais pas qu'un jour je pourrais enfin maintenir un poids stable, à mon goût et sans souffrir.

Je rêvais parfois d'un remède miracle qui me permettrait enfin de manger tout ce que je voudrais sans faire osciller l'aiguille de la balance d'un seul degré. Mais cette panacée n'est toujours pas inventée et, en attendant, il me fallait une autre solution pour tenir le coup.

Et encore une fois j'ai découvert que le vrai miracle réside en nous-même: c'est notre subconscient. J'ai effectivement obtenu un résultat qui persiste depuis un peu plus de un an et j'ai la conviction que ce problème est une « affaire classée » quant à moi. Je n'apprécierais même plus la possibilité de manger « n'importe quoi » sans prendre du poids car la tentation serait trop forte et, à long terme, d'autres problèmes de santé feraient inévitablement leur apparition.

Il ne s'agit donc pas d'une programmation qui vous permettrait de manger n'importe quoi sans acquérir un kilo. Disons plutôt que vous ne souffrirez plus en suivant un régime alimentaire, quel qu'il soit, car vous aurez programmé votre subconscient pour qu'il en soit ainsi.

Tout individu doit s'alimenter d'une façon saine et en fonction des besoins personnels de son corps. Rares sont les gens ne souffrant d'aucune faiblesse ou déficience corporelle. Les problèmes d'obésité, de digestion, de vessie, de diabète, de cholestérol, de foie...

etc. sont monnaie courante et il faut minimiser le plus possible ces carences ou faiblesses de notre système. Quant à ceux qui ne souffrent d'aucun problème particulier, ils doivent apprécier cette grande richesse et prendre les moyens pour conserver la santé qu'ils possèdent. Mieux vaut prévenir que guérir!

Personnellement, j'ai traversé la dernière période des fêtes en ne prenant pas une seule livre, et je vous jure que gâteaux, tourtières et friandises de toutes sortes me passaient sous les yeux sans me faire souffrir et sans qu'il me vienne à l'idée de tricher. Tout le monde me disait que je devais avoir une volonté de fer pour résister ainsi.

Mais, sincèrement, je n'avais aucun mérite à part celui d'avoir su comment programmer mon subconscient pour peser cent cinq livres, conserver ce poids et ma bonne humeur également.

Il m'est arrivé de goûter à certains mets « engraissants », et que je ne mangerais pas à l'année longue, mais de façon très modérée et surtout sans mes regrets d'autrefois lorsque j'arrivais à la dernière bouchée beaucoup trop rapidement à mon goût.

Comment est-ce arrivé?

Cette programmation date d'un peu plus d'une année.

Je revenais de deux semaines de vacances au bord de la mer, rapportant avec moi une bonne provision de soleil, d'heureux souvenirs et hélas! quinze livres en plus. Non pas quinze bouquins mais bien quinze livres de bonne chair joyeusement installée en grande partie sur les membres inférieurs comme cela arrive chez la plupart des femmes.

Il me fallait donc me remettre à la tâche et perdre ce surplus avant que ces quinze livres ne se transforment en trente livres et ne coupent de moitié le courage qu'il me fallait pour retrouver ma ligne et ma forme. Car, pour ma part, indépendamment de l'apparence, je me sens beaucoup plus à l'aise et plus énergique à un poids inférieur et ce qui est important n'est pas le chiffre qu'indique votre balance mais le « comment » vous vous sentez à ce poids. Dans ce domaine, chacun doit être son propre juge car c'est lui et lui seul qui porte son poids!

Nouvelle visite chez le médecin qui, encore une fois, a fait de son mieux pour m'encourager. Je me dois ici de souligner l'excellent travail de mon médecin avec lequel, avant d'exploiter toutes les possibilités de mon subconscient, j'ai quand même atteint un certain *modus vivendi* qui s'avéra être un demi-mal. Il y avait évidemment ces rechutes presque inévitables mais grâce à mon médecin, qui considère son patient comme un individu et non comme un numéro, j'ai appris à mieux connaître mes réactions physiques et psychologiques face à la nourriture; j'ai découvert quels aliments m'étaient les plus néfastes; en fait, j'ai appris ce que je n'avais jamais appris avec d'autres médecins spécialistes qui donnent le même régime à tout le monde sans se soucier des particularités de chaque patient, oui j'ai appris à me connaître moi-même. Je continue d'ailleurs mon régime de maintien sous la surveillance de mon médecin auquel je fais une visite mensuelle de contrôle (poids, pression, particularités) car tout en conservant mon poids actuel je tiens à prendre bien soin de ma santé, ce bien extrêmement précieux. De plus, le contact humain et les échanges sont très importants pour collaborer avec son subconscient et lui permettre de donner un rendement maximum.

Néanmoins, malgré ce soutien moral et professionnel de son médecin, lorsque l'on suit régime après régime depuis une dizaine d'années et que le dernier dure environ trois ans, on commence à perdre espoir; pas tellement dans le régime, c'est plutôt le courage qui flanche. Ayant déjà eu l'expérience des dix à quinze livres à perdre et sachant que ça pouvait prendre plusieurs mois, je me sentais vaincue d'avance.

Et c'est à ce moment que le miracle s'amorça: une amie me prêta le livre du docteur Joseph Murphy *L'Énergie cosmique* qui parle de programmations (en termes assez compliqués pour les non-initiés). Dans son bouquin, le docteur Murphy donne l'exemple d'une personne qui désirait peser cinquante kilos et nous écrit les termes de sa programmation: « Je pèse cinquante kilos dans l'ordre divin et par l'amour divin. » Et il nous assure que cette personne a effectivement réduit son poids à cinquante kilos.

Dès lors, le sujet ne m'étant pas tout à fait étranger, je me dis que je n'ai rien à perdre en essayant. Par contre, j'ambitionne davantage: je désire peser cent cinq livres mais je souhaite aussi conserver ce poids et cesser de jouer au yoyo.

Je rédige donc ma programmation comme suit:

« Je pèse cent cinq livres dans l'ordre divin et par l'amour divin et mon métabolisme est normal. »

En attendant le résultat miraculeux je décide de continuer mon régime ordinaire mais je sais qu'avec lui je ne perdrai que de une à trois livres par semaine, sans compter les semaines où je tricherai et où je reprendrai du poids. De toute façon je ne fais pas assez confiance à la programmation pour prendre le risque.

Et voici comment mon subconscient opéra:

Moins d'une semaine après le début de cette programmation une compagne de travail me demande un service. Elle a passé la dernière fin de semaine chez ses parents à Québec et y a oublié une paire de souliers.

Or, mon ami travaille justement dans cette ville et il s'amène à Montréal toutes les fins de semaines.

Louise aimerait que mon ami se rende chez ses parents quérir ladite paire de souliers, que je pourrais lui remettre le lundi matin au bureau.

Aucun problème. Joseph (mon ami) alerté, Louise aura sa paire de souliers lundi matin.

Remerciement de Louise pour service rendu... Et elle ajoute: « Si tu es intéressée, ma mère m'a copié une diète fantastique et elle me l'envoie avec les souliers. Je sais que tu désires perdre les quelques livres que tu as rapportées de tes vacances alors ne te gêne pas pour la lire et la copier en fin de semaine si elle te convient. »

Ma première réaction fut absolument négative même en ne sachant pas exactement de quel genre de diète il s'agissait. En fait, comme on dit parfois: « Je ne voulais rien savoir! » Vous pouvez vous imaginer qu'ayant suivi différents régimes depuis dix ans j'étais loin de désirer en ajouter un nouveau à mon palmarès.

Je remerciai donc Louise et l'assurai qu'un médecin me suivait depuis trois ans et que je n'étais pas intéressée à essayer les régimes de Pierre-Jean-Jacques.

Le vendredi soir, Joseph s'amène avec la paire de souliers.

Je lui montre ma programmation et, sans faire de lien, je lui raconte l'histoire de la « diète fantastique » de Louise.

— Et si c'était une première réponse à ta programmation, me dit Joseph.

— Ah! non, pas un autre régime, lui répondis-je.

Mais piquée par la curiosité j'ouvre le sac et commence à lire le régime en question.

Au début, ça me semble un régime ordinaire mais je commence à changer d'avis vers la fin de ma lecture: au bas de la page je lis: « Cette diète vous fera perdre de quinze à dix-sept livres en deux semaines (exactement ce que je dois perdre) et contribuera à rendre votre métabolisme normal » (exactement les termes de ma programmation).

La relation étroite entre les termes employés, le but à atteindre et ma programmation me semble trop évidente pour que je puisse résister à la tentation de l'essayer. Après tout, deux semaines ce n'est pas si long et ça me changera de mon régime habituel.

C'est alors que j'adoptai ce nouveau régime. Et effectivement, les quinze livres supplémentaires ont disparu en deux semaines, comme par enchantement.

Vous vous rendez compte: perdre une livre par jour, tout en mangeant à ma faim et, encore, des aliments inhabituels et que je n'aurais jamais osé inclure dans mon régime « mille calories ».

Et, de fait, mon métabolisme s'en trouva fort modifié: je ne ressentais plus de ces fringales pour tel ou tel aliment, ma digestion se faisait plus facilement et mes intestins fonctionnaient beaucoup mieux.

Ce régime, comme tous les autres, ne produit probablement pas un résultat identique pour chaque individu, mais puisque mon subconscient l'avait mis sur ma route je crois que, lui, il en avait déjà prévu l'effet sur mon système.

J'avais donc perdu quinze livres, me sentais légère comme une gazelle, mais il me fallait conserver tout ça.

Encore là, mon subconscient opéra sa merveilleuse magie. Je découvris « par hasard » un livre traitant de la possibilité de maigrir et de conserver son poids avec l'aide du subconscient.

Ayant déjà lu plusieurs bouquins traitant de régimes, je n'avais pas l'intention d'en ajouter un autre à ma collection. Et je ne l'achetai pas. Mais quelque chose me poussait vers ce livre chaque fois que j'entrais au magasin de variétés près du bureau où je travaille. A deux reprises je le montrai même à des amies, sans l'avoir acheté et lu.

Maintenant je sais pourquoi mon subconscient me conduisait vers ce livre. Le feuilletant pour la xième fois, j'y découvris l'annonce d'un microsillon enregistré par ce médecin (l'auteur du livre) et en vente à Montréal, et qui illustre le travail du subconscient.

Là, c'était autre chose! Deux jours plus tard, j'achetais ce microsillon. Ce fut d'ailleurs un excellent achat puisque, depuis lors, je pratique la méthode qui y est enseignée et n'ai aucun problème de contrôle.

Maintenant, je sais d'instinct ce que je dois ou ne dois pas manger. Lorsque je me permets certains écarts, j'ai l'impression d'avoir un mécanisme qui m'indique automatiquement quoi faire pour perdre immédiatement tout excédent de calories s'il y a lieu. Mon poids est stable et je n'ai pas du tout l'impression de faire des sacrifices pour le maintenir.

Quelques mois plus tard, mon subconscient me procura un atout supplémentaire pour améliorer ma silhouette et me sentir bien dans ma peau: le conditionnement physique.

J'habite le même quartier depuis trois ans. N'étant pas sportive, je ne m'étais intéressée à savoir s'il existait aux alentours un centre sportif. De plus, l'exercice physique en groupe m'était toujours apparu comme ennuyant et fastidieux.

Le badminton n'avait pas eu longue vie avec moi et je me doutais que le jogging et les exercices de conditionnement physique ne me plairaient guère davantage. Je ne me serais même pas donné la peine d'essayer si mon ami, revenu à Montréal, n'avait lui-même décidé de s'abonner au centre pour y faire du conditionnement physique deux fois la semaine.

Mon subconscient avait décidé de se servir de cet ami pour m'influencer, mais un enchaînement de circonstances fit en sorte que lui-même dut abandonner alors que moi je continuai.

Comme il s'agissait de classes mixtes, je décidai de l'accompagner pour la première visite avec la certitude bien arrêtée que ce serait aussi la dernière. J'envisageais tout au plus d'aller à l'occasion à la piscine, mais surtout pas deux fois par semaine.

De toute façon je n'avais plus de problème avec mon poids et ne ressentais pas le besoin particulier d'aller faire des exercices ennuyeux et fatigants. Quelle ignorance de ma part!

Aussi, quelle ne fut pas ma surprise de sortir « enchantée » de mon premier cours de conditionnement physique. Loin d'être ennuyeux comme je l'avais prévu avec mon « conscient », ce cours s'avéra être pour moi une source d'énergie et me procura un tel bien-être que je décidai d'y retourner deux jours plus tard.

Je n'ai cessé depuis de m'y rendre au moins deux fois par semaine, et trois fois lorsque mon horaire le permet.

Et alors qu'avant ma programmation je « m'imposais » le badminton ou un cours de danse ou une marche de santé, je fais aujourd'hui mon conditionnement physique avec plaisir et satisfaction. Je ne suis en concurrence qu'avec moi-même et, en plus du bien-être ressenti, il est toujours agréable de constater qu'on progresse dans l'exécution des exercices.

Il ne s'agit pas, dans l'occurrence, d'une activité « ajoutée » aux autres et à laquelle je me consacre en vitesse pour me débarrasser. C'est une activité « intégrée » à mon mode de vie et à laquelle je tiens beaucoup.

En plus des bienfaits physiques que j'en retire, ces quelques heures d'exercices ont grandement contribué à l'amélioration de mon attitude mentale et de mon caractère; je me sens plus patiente et plus tolérante envers les gens et envers la vie en général; je me sens aussi beaucoup moins agressive. Quant aux facultés intellectuelles, elles peuvent fournir leur plein rendement, le physique étant en pleine forme.

Je comprends maintenant, pour le vivre réellement, tout le sens de l'adage: « Un esprit sain dans un corps sain. »

J'ai même recommencé à jouer au badminton; c'est une activité très populaire au centre que je fréquente.

Toujours arrivée une bonne demi-heure avant le début du cours, j'acceptai, il y a quelques semaines, l'invitation de trois amateurs de badminton qui m'ont gentiment offert de jouer avec eux.

Mon partenaire, un excellent joueur, corrige mes erreurs et me permet d'améliorer mon style et ma tenue. Ce sport contribue aussi à développer mes réflexes à cause de la rapidité du jeu.

Mais le plus important est cette facilité de communication que j'ai développée et qui me sert où que je sois: la petite fille mal à l'aise et guindée qui jouait au badminton uniquement avec les collègues du bureau s'est métamorphosée en une jeune femme bien dans sa peau, qui n'a pas peur des gens et demeure elle-même avec tout le monde. Quant au jogging dont j'écoutais auparavant d'une oreille distraite les mérites, j'en suis maintenant une adepte quotidienne, et je cours deux milles chaque jour!

J'ai cessé de fumer
en programmant mon subconscient

Voici une autre expérience vraiment formidable.

Avant de programmer mon subconscient pour cesser de fumer, j'avais tenté au moins à quatre reprises d'abandonner la cigarette, mais toujours sans succès.

Non pas que le goût de la cigarette m'emballait, mais l'habitude était quand même bien ancrée. Je fumais un paquet par jour, parfois un peu plus, selon les circonstances. Les soirs de sorties je battais tous les records, surtout si nous avions le malheur d'y ajouter quelques drinks.

Je me souviens, par exemple, de soupers au restaurant où je gâchais de si bons repas en fumant cigarette après cigarette: une avec l'apéritif, une autre après l'entrée, une troisième après le mets principal et une autre au dessert. Sans oublier la cigarette pour accompagner le café et une autre avec le digestif.

Je réalise aujourd'hui jusqu'à quel point je perdais la saveur des aliments et le bouquet des vins en fumant de la sorte.

Et que d'énergie j'y laissais car, il faut bien le dire, la cigarette fait s'envoler en fumée une quantité incroyable d'énergie. Il faut cesser de fumer pour s'en rendre compte.

De plus, mon teint était toujours de couleur douteuse. Enfin, et c'est quand même à considérer, c'était de l'argent qu'on jette dans les cendriers! Quel gaspillage!

Je suis maintenant débarrassée, à ma grande satisfaction, de la cigarette et je me demande encore comment et pourquoi j'ai pu fumer pendant de si nombreuses années?

Là encore ça n'a pas du tout été une question de volonté. J'avais demandé à mon subconscient de trouver un moyen efficace pour m'enlever à tout jamais le goût et le besoin (physique et psychologique) de la cigarette.

Je m'attendais à des suggestions telles que l'acuponcture, l'hypnose ou autre chose du genre. Eh bien, tous ces moyens, et beaucoup d'autres encore, peuvent être très valables mais mon subconscient, lui, a choisi une autre voie pour moi. Une chose simple, tellement simple que je n'y aurais même pas pensé comme remède: l'image de soi-même dont je vous ai déjà parlé.

Voici comment c'est arrivé. Mon ami et moi allions souper au restaurant avec un autre couple. C'était un soir comme les autres et qui, à part ce souper, n'annonçait rien de spécial. Nous avions réservé une table dans un chic restaurant polynésien. L'endroit idéal pour fumer!

A l'heure prévue, nous nous rendons au restaurant où nous attendons nos amis à l'entrée. Et c'est là, durant ces quinze minutes d'attente que mon subconscient commença son travail pour m'enlever à tout jamais le goût de la cigarette.

Tout près de nous je remarquai une dame d'une soixantaine d'années environ qui attendait elle aussi. Elégamment vêtue, la silhouette distinguée, elle aurait pu, malgré son âge, être une femme très séduisante et très agréable; mais voilà, elle semblait très nerveuse, fumait cigarette après cigarette, contractait son visage à chaque bouffée et sa peau m'apparut séchée, ridée et même jaunie à travers l'écran de fumée dont elle s'entourait.

Simultanément, mon subconscient me montra l'image claire et précise de ma mère qui a soixante-dix ans mais a l'air plus jeune que cette dame. Or ma mère n'a jamais fumé, et il m'a semblé tout à coup que sa belle peau, son teint de pêche, le calme de son visage avaient été protégés de cette cigarette néfaste et qu'elle n'avait jamais mis les pieds dans un institut de beauté pour se débarrasser des points noirs et des rides qu'elle n'a jamais eus.

Et comme ça, en l'espace de quelques secondes, ces deux images superposées dans mon imagination, je me demandai à qui je voulais ressembler plus tard. A cette personne, là devant moi, ou à ma mère? Fumer n'est certes pas la seule cause du vieillissement prématuré, mais cela n'aide sûrement pas à conserver sa beauté et son calme. Ma décision était prise: la cigarette serait bientôt histoire du passé.

Décidée, mais n'étant pas certaine de réussir, je me fixai un temps d'arrêt de vingt et un jours à compter de cette minute même me disant que je pourrais recommencer après cette période si cela devenait un supplice intolérable. A ma grande surprise, je n'eus pas plus de difficulté à cesser de fumer que de contrôler mon poids. Tout s'est fait comme si je n'avais touché une cigarette de ma vie et, encore aujourd'hui, je conserve cette impression.

Je n'ai jamais fumé depuis. Je m'en porte très bien, je peux courir autant que je le désire sans être à bout de souffle; ma peau n'est plus intoxiquée, je fais un tas d'économies et lorsque je m'éveille le matin je n'ai plus la désagréable sensation d'avoir la bouche pâteuse comme autrefois.

Et dire que j'avais essayé d'arrêter à quatre reprises sans réussir, et qu'il a suffi d'une simple image mentale envoyée par le subconscient pour tout changer.

Sans doute cette façon n'est unique ni efficace pour tous. Mon subconscient l'a choisie pour moi sachant que c'était la meilleure, compte tenu de ce que je suis. Votre subconscient choisira la vôtre aussi efficacement, car il sait exactement le genre de motivation dont vous avez besoin.

En réalité c'est le résultat qui compte et non les moyens utilisés. Nous nous tracassons beaucoup trop au sujet des moyens. Il s'agit simplement de savoir, de déterminer clairement le but à atteindre et notre subconscient, lui, se charge des moyens...

Autres problèmes d'apparence physique

Chaque individu peut avoir des problèmes particuliers concernant son apparence extérieure.

La première chose à réaliser est que l'« extérieur » d'une personne est beaucoup moins important que son « intérieur ». Regardez une personne joyeuse et aimable et vous la trouverez « belle » en dépit de toutes ses imperfections physiques. Regardez une autre personne « plastiquement parfaite » mais ennuyeuse ou hargneuse et vous aurez tôt fait d'oublier ses charmes extérieurs.

L'apparence n'est pas un critère de sélection sauf pour des gens très superficiels; elle n'a jamais été un critère de bonheur. Analysez les déboires de certaines grandes « stars » qui apparemment avaient tout pour être heureuses. Cela prouve, une fois de plus, qu'il leur manquait l'essentiel.

Par contre, sans en faire une priorité, on peut réussir en programmant son subconscient à minimiser ses petits problèmes. Qu'il s'agisse de problèmes de chevelure, de dentition, de cellulite ou de malformations quelconques, il existe tellement de moyens techniques à notre portée dans notre monde moderne qu'il s'agit simplement de trouver le bon remède pour obtenir le bon résultat.

Mais justement, le choix est tellement vaste et la publicité si confuse, comment s'assurer de ce qui est le mieux pour soi? Comme pour le reste, il est beaucoup plus sage de confier le problème à son subconscient, qui sera toujours plus objectif que de se fier à tous et chacun qui, finalement, songent beaucoup plus à leur propre intérêt qu'au vôtre. S'il y a lieu de consulter un spécialiste, votre subconscient vous conduira vers la personne adéquate et il trouvera toujours une solution qui soit dans votre plus grand intérêt.

Et peu importent les commentaires des autres. De toute façon, il se trouvera toujours quelqu'un pour vous dire gentiment que vous y gagneriez à être ou à paraître autrement que ce que vous êtes actuellement. Mais, chose certaine, il y aura toujours quelqu'un pour vous apprécier tel que vous avez choisi d'être et de paraître: vous-même, et bien sûr aussi les gens qui vous aiment et qui sentent que vous êtes bien dans votre peau et libre de vous présenter comme bon vous semble.

Cela peut paraître banal mais il existe une foule de petites choses qui sont secondaires mais qui, à la longue, vous tapent sur les nerfs lorsque vous ne les contrôlez pas. Pourquoi entretenir ces petits malaises alors qu'il est si facile de les éliminer?

Parfois la solution est tout à fait simple, mais elle vous échappe tout simplement. En confiant à votre subconscient tous vos problèmes, du plus banal au plus important, vous économisez temps et énergie et, de plus, vous bénéficiez toujours de la meilleure solution.

En ne se référant qu'à son conscient, on se limite souvent à du « connu », à du « déjà su » comme si l'on connaissait toutes les solutions à ses problèmes. Or, c'est rarement le cas; je dirais même que ce n'est jamais le cas.

Combien de fois n'avons-nous pas entendu quelqu'un dire: « Ah si j'avais su ça avant! » Mais nous donnons-nous vraiment la chance de savoir ou si nous habituons notre esprit à se limiter dans ses connaissances?

Objets matériels obtenus à la suite d'une programmation

Tout comme l'apparence physique, les objets matériels sont des éléments qui revêtent une importance secondaire dans la vie de quiconque.

Un homme « bien dans sa peau » et « en paix avec lui-même » est cent fois plus heureux dans le plus humble logis qu'un homme tourmenté et angoissé dans le plus beau palais.

« Programmer » pour obtenir tel ou tel objet matériel, quel qu'en soit le prix, est une expérience plus amusante qu'importante. Mes amis et moi en avons fait l'essai et les résultats nous apparaissent assez intéressants. Nous avons réalisé qu'à ce niveau la programmation devient un outil pour développer la patience et le sens de l'observation, car une personne qui sait attendre et ouvre bien « yeux et oreilles » finit presque toujours par obtenir ce qu'elle désire.

De plus, la programmation permet au subconscient de fournir au conscient les informations adéquates pour que l'individu se dirige « à la bonne place et au bon moment » pour son meilleur intérêt financier ou autre.

Programmer c'est projeter ses phares sur l'objet de sa programmation de sorte qu'au moment où il se présente on ne passe pas à côté sans le voir.

J'ai moi-même obtenu des tas de choses, et d'une façon assez inattendue, par la programmation, et je suis persuadée que la plupart de ces biens me seraient passés sous le nez si je n'y avais préalablement accordé une attention particulière.

Il y a, par exemple, ce magnifique cardigan en grosse laine du pays que je ne pouvais évidemment pas m'offrir compte tenu de mes disponibilités budgétaires du moment. Je l'ai finalement obtenu grâce à un enchaînement de circonstances assez cocasses, et à un prix vraiment dérisoire: un ami rencontré « par hasard » en avait justement plusieurs dans son jeep ce jour-là, pour fins commerciales.

Je savais vaguement que cet ami travaillait dans l'import-export; mais il ne m'était jamais venu à l'idée que ce genre de marchandise intéressait son commerce. Cette expérience me fit réaliser que nous ne nous intéressons pas suffisamment aux gens que nous rencontrons, tant au point de vue personnel que professionnel. Cet ami m'avait peut-être fait part de cet aspect de son travail mais cela m'avait complètement échappé, du moins avait échappé à mon conscient, devrais-je dire, car mon subconscient, lui, avait sûrement en mémoire cette information.

Il y a aussi ces deux magnifiques tableaux obtenus, à la suite d'une programmation, à un endroit où je n'avais pas l'habitude de me rendre mais où l'intuition me conduisit ce jour-là sans que je sache « consciemment » trop pourquoi. Je crois que mon subconscient avait capté, d'une façon ou d'une autre (radio - télévision - conversation... etc.), qu'il y avait à cet endroit une supervente et qu'il a retransmis le message à mon conscient par la suite.

Le même phénomène s'est produit pour plusieurs

objets d'une valeur plus ou moins grande que le hasard m'a fait obtenir à des prix d'occasion.

J'aurais peut-être obtenu toutes ces choses sans programmation, mais je réalise que la programmation prédispose notre conscient à saisir toutes les occasions qui se présentent à nous.

Avec la programmation, je réalise qu'aux yeux des autres je fais maintenant partie de ces « personnes chanceuses qui frappent toujours la bonne occasion ». Croyezmoi, il n'y a pas de personnes chanceuses, il n'y a que des personnes qui permettent à la chance d'entrer chez elles.

Prenez, par exemple, les billets de loterie.

Rares sont les gens qui n'achètent pas de temps à autre un billet de loterie avec l'espoir de gagner quelque chose. Moins rares sont les gens qui disent: « Moi, je ne gagne jamais. » Eh bien, affirmer une telle chose n'est sûrement pas un bon moyen pour gagner. J'en ai même connus qui disaient cela et n'achetaient même pas un seul billet pour se donner une chance. Comment gagner dans ces conditions?

Pour ma part, j'achetais régulièrement des billets mais, comme à peu près tout le monde, avec la ferme conviction de ne jamais gagner. Jusqu'au jour où je décidai de programmer la chance de mon côté. J'avais à cette époque le désir de me rendre à Londres durant quelques mois pour y perfectionner mon anglais et j'avais besoin, selon mes calculs, d'une somme d'au moins $10,000.

Je ne veux pas vous faire croire que j'ai effectivement gagné cette somme mais les événements qui se sont déroulés depuis sont des plus intéressants et me portent à croire de plus en plus que j'aurai bien cette chance un jour.

D'abord, j'ai changé mes plans et je ne suis pas allée à Londres mais pas à cause de restrictions financières, car je réussis quand même à trouver l'argent peu de temps après ma programmation.

En effet, il m'était possible avec un congé sans solde et mon revenu de travail garanti, à mon retour, d'emprunter $10,000 à la caisse du gouvernement remboursables à des conditions très avantageuses. Evidemment, j'aurais préféré gagner cette somme et non l'emprunter mais là encore mon subconscient avait quand même trouvé une solution à ma demande.

Par ailleurs, j'avoue que depuis cette programmation, j'ai effectivement gagné cinq fois par le hasard. Pas encore des sommes astronomiques mais lorsque vous gagnez $500 avec un billet payé 50¢ je considère cela comme un très bon placement. Les autres montants gagnés totalisent environ $300 en tout et même le plus petit qui était de $23 m'a fait grand plaisir. Si ce n'est pas un record je dois dire que c'est quand même une bonne moyenne, compte tenu du court laps de temps écoulé.

En tout cas je reconnais que, depuis ce temps, « je suis une personne chanceuse » et j'espère gagner un bon montant avant la fin de mes jours.

Ne serait-ce que pour prouver la puissance de la programmation!

Notre maison familiale

J'ai eu la chance de grandir éloignée de la ville. Notre maison, située à Tracy, était bâtie sur un immense terrain bordé par le majestueux fleuve Saint-Laurent du côté ouest, alors que, du côté est, nous pouvions nous balader en forêt. Cette belle nature a si bien charmé mon enfance et mon adolescence que je rêve d'avoir un jour ma maison bien à moi à la campagne. J'ai d'ailleurs programmé ce désir et j'attends sa réalisation avec impatience.

Mon père, décédé depuis dix-huit ans, était ce genre d'homme à voir à tous ces petits ou gros détails d'entretien d'une propriété. Aussi, quel ne fut pas l'embarras de maman lorsqu'elle se retrouva, outre ses cinq enfants mineurs et tous les tracas d'une succession compliquée, avec une très grande maison à entretenir. Si bien qu'après ces dix-huit ans la maison, où du moins ce qu'il en restait, avait tenu le coup tant bien que mal mais faute du manque d'expérience et de ressources financières s'était grandement détériorée avec le temps.

Par contre, nous y tenions beaucoup; il s'en dégageait un je-ne-sais-quoi de spécial et nous nous y sentions vraiment chez nous. Mais la situation financière allant de mal en pis, il fallut envisager la vente de la maison et chacun de nous, quoique triste à cette idée, accepta l'inévitable solution.

Pour nous, les enfants, ce n'était qu'un demi-mal puisque nous avions quand même chacun notre propre domicile à un endroit ou à un autre, mais pour maman c'était vraiment lui arracher une partie d'elle-même que de la contraindre à déménager.

Sa réaction réaliste et résignée ne me surprit pas car, comme je la connais, je savais qu'elle accepterait de bon cœur cette nouvelle épreuve que lui réservait le sort. Et son proverbial sens de l'humour servit une fois de plus à lui faire avaler la pilule très sereinement.

Mais avant que tout ne fut conclu et réglé, je décidai de m'attaquer au problème par la programmation. En fait, maman et moi rêvions de voir la maison restaurée, telle que du temps où Daddy vivait, avec ses dépendances, ses balançoires, le puits, le jeu de crocket enfin tout, même les ronds de fleurs qu'il entretenait lui-même. Il serait si fier, pensions-nous, si la maison et le terrain pouvaient enfin subir une bonne toilette et revivre pour ravir les yeux et le cœur de ses enfants et de son épouse. Et nous nous laissions bercer par ces charmantes visions que nous désirions de tout cœur mais qui, hélas, s'avéraient du domaine de l'impossible.

Lorsque je programmai, j'avais presque convaincu maman que nous gagnerions une importante somme d'argent qui nous permettrait de réaliser ce que j'avais programmé.

Au moment de la signature de l'acte de vente je dus tristement admettre avoir, cette fois, bel et bien échoué ma programmation, mais je me trompais; là encore mon subconscient ne m'a pas déçue.

Nous avions refusé plusieurs offres d'achat et finalement c'est à un jeune couple que la maison fut cédée. Peu de temps après l'acquisition de sa nouvelle propriété, le jeune acheteur téléphona à maman pour lui demander toutes les photographies disponibles de la maison et du terrain. Pourquoi? Vous le devinez sans doute, il avait décidé de restaurer la maison et le terrain tels qu'ils furent aux beaux jours de mon enfance. Incroyable mais pourtant vrai. Jamais je n'aurais soupçonné qu'une personne prendrait une telle décision et surtout concernant notre cher « home ».

Et ce que nous croyions perdu revit tout à coup, et j'espère de tout cœur avoir la possibilité de racheter notre maison un de ces jours pour que la réussite soit encore plus grande. Maintenant je ne mets plus de barrières ou d'obstacles car tout est possible avec un peu de temps et de patience.

Ce serait vraiment le plus beau cadeau que je pourrais offrir à ma chère maman qui le mérite bien.

Et si cela n'arrive pas, nous aurons quand même la satisfaction et l'immense joie de revoir notre maison et notre terrain tels que nous les avons connus jadis et rêvés en ces dernières années. C'est quand même plus que nous aurions pensé avant de connaître le secret de la programmation.

Je ne veux pas m'étendre plus longtemps sur le sujet des objets matériels car, en fait, ce n'est pas un critère de bonheur et de joie profonde. Mais comme nous vivons les deux pieds sur terre, dans le concret et entourés de ces objets, il me fallait absolument vous faire part de ces expériences.

De toute façon, je suis persuadée que d'ici peu vous aurez vous-même un tas d'histoires de ce genre à raconter et serez probablement entouré d'objets plus ou moins coûteux dont vous aurez programmé l'acquisition.

La programmation et les autres

La programmation du subconscient opère de profonds changements chez l'individu qui décide d'utiliser toutes ses ressources.

Apparence physique, souplesse de caractère, facultés intellectuelles, tout s'améliore remarquablement, de sorte que la personne développe au maximum son potentiel mental et physiologique.

Mais comment la programmation agit-elle sur notre entourage et pouvons-nous impliquer d'autres personnes dans nos programmations? J'ai constaté et vécu une triple réponse à cette question.

1) Premièrement, la programmation a, sans l'ombre d'un doute, une influence profonde sur notre entourage en ce sens que, nous-même transformé et « à notre mieux », les gens qui nous côtoient ne s'en porteront que mieux.

Non seulement les gens apprécieront notre transformation mais rechercheront notre compagnie et seront beaucoup plus ouverts à nos idées. Les « vibrations positives attirent des vibrations positives ». Nous reviendrons sur ce point un peu plus loin.

Un proverbe anglais dit: « *Smile and the world smiles with you, cry and you cry alone.* »

Ce qui veut dire, en d'autres termes, qu'une personne heureuse, épanouie et bienveillante attire autour d'elle le monde entier alors que la personne triste, déprimée et malheureuse se sentira isolée. On peut sympathiser avec un individu aux prises avec des problèmes multiples, mais on ne recherche certes pas sa compagnie.

Comme on l'entend souvent: « J'ai assez de mes problèmes sans entendre parler de ceux des autres. »

Ainsi donc, la programmation joue un rôle très important dans nos relations avec les autres.

2) Deuxièmement, et cela concerne surtout les gens que vous côtoyez de plus près, il arrive que l'objet de votre programmation implique directement une ou plusieurs personnes de votre entourage; je veux dire que pour atteindre le but de votre programmation, il est nécessaire que « l'autre » en vienne aussi à modifier son attitude mentale.

Cela est possible, mais vous vous heurtez à ce moment-là au subconscient de cette autre personne et la tâche apparaît plus ou moins difficile selon la réceptivité de cette personne et compte tenu du contexte environnant.

Mais vous pouvez être assuré que, quelle que soit la difficulté à surmonter, votre subconscient prendra tous les moyens nécessaires pour vous aider à atteindre votre but.

N'oubliez pas que votre subconscient cherche les réponses dans l'« Intelligence universelle » (appelée aussi « Mémoire universelle ») où se trouve toute Connaissance et que, en plus, ce même subconscient est en constante communication avec l'« Inconscient collectif » y participe même, pour vous aider à être en harmonie avec le reste de l'univers.

3) Finalement, et c'est à mon avis une des conséquences les plus utiles en même temps qu'agréables de

la programmation, vous exercez une influence directe sur vos rencontres avec d'autres personnes.

J'ai longtemps été convaincue que les rencontres faites tout au long de notre vie étaient dues au hasard ou à la bonne fortune. Ma conviction s'est quelque peu estompée depuis que j'utilise la programmation qui, d'une part, occasionne chez nous une « ouverture » d'esprit aux propos des autres et, d'autre part, nous permet d'identifier clairement les sujets sur lesquels il nous est fondamental de faire la lumière pour poursuivre efficacement notre route.

De toute évidence, même sans programmer volontairement votre subconscient, vous avez sûrement fait et ferez encore certaines rencontres très significatives et très importantes, face à votre cheminement personnel.

Mais la programmation a cet avantage qu'elle multiplie ces rencontres et permet ainsi d'accélérer son évolution et d'arriver plus rapidement à cette lumière que l'on recherche.

Rencontres

La plupart des gens passent dans votre vie le temps nécessaire pour que vous leur apportiez tout ce qui est en votre pouvoir de leur offrir, pendant qu'eux-mêmes demeurent le temps nécessaire pour vous procurer tout ce qui leur est possible de vous apporter afin de contribuer à votre évolution.

Ce temps varie, bien sûr, d'une rencontre à une autre. Ce peut être une heure ou des années, chaque rencontre a sa raison d'être.

Lorsque l'on vit au jour le jour, sans trop savoir ce que l'on cherche et où l'on va, on ne réalise pas l'importance de ses rencontres. On se replie habituellement sur un entourage familier avec lequel les intercommunications risquent de devenir stériles faute de ressourcement, le sien ou celui des autres.

La relation stable et permanente est nécessaire à tout individu mais ne répond pas à un même besoin chez tous. Pour garder une stabilité affective et émotive il est très sain et même recommandable d'entretenir des liens d'amitié profonde envers certaines personnes et d'alimenter ces liens tant par amour que par volonté. L'ermite est l'exception qui confirme la règle, car sa communication se situe à un autre niveau. Mais disons que la bonne moyenne des gens a besoin d'un cadre familial pour évoluer aisément et s'épanouir avec un minimum de sécurité émotionnelle.

Mis à part ce groupe de personnes nous entourant de près et que j'appellerais notre petite « élite » personnelle, il y a les autres.

Ces autres dont l'importance est égale, sinon supérieure, à celle de notre élite représentent la ou les réponses « vivantes » à nos programmations.

Comme toute personne intelligente vous vous posez des questions. Des centaines et des milliers de questions. A chacune d'elles correspond une réponse qui, elle-même, représente une parcelle de vérité, une page du grand livre de la Connaissance.

Vous pouvez découvrir certaines réponses en lisant, en regardant un film, en observant la nature végétale ou animale, en expérimentant certaines émotions à travers lesquelles vous percevez un message très clair, non équivoque, etc.

Mais la manière la plus courante et la plus agréable aussi d'obtenir la réponse à ses questions est sûrement le dialogue. Parents, amis, collègues de travail, votre coiffeur, une serveuse de restaurant, des personnes rencontrées en voyage sur l'avion, le bateau, l'autobus ou le train, bref, qui que ce soit susceptible de vous parler vous apporte, consciemment ou non, la réponse à vos interrogations; pas à toutes mais à la majorité d'entre elles.

Le temps, si court soit-il, pendant lequel vous entrez en communication verbale, écrite ou simplement visuelle avec un « autre » est un temps précieux. Aussi est-il sage de vous arrêter parfois afin d'identifier ses questions les plus fondamentales et d'offrir à votre subconscient la chance d'aller chercher ces personnes susceptibles d'éclairer votre route, et vous, la leur.

La plus belle expérience de programmation est finalement celle-ci. Encore une fois votre subconscient prévoit les « hasards » et les « coïncidences » pour permettre les rencontres appropriées.

Et je m'émerveille à chaque fois car le moment d'une rencontre résulte de la planification non d'un seul subconscient, le vôtre, mais aussi de celle de l'autre subconscient, celui de la personne rencontrée. C'est-à-dire que deux besoins, identifiés ou non, seront comblés par cette rencontre.

Mais plus vous saurez clairement ce que vous cherchez, plus vous apporterez de précision dans la détermination de vos buts et plus vous vous donnerez le temps de fournir à votre subconscient des commandes spécifiques, vous serez étonné de réaliser très facilement la raison profonde d'une rencontre. Parfois, après quelques paroles seulement, vous découvrirez (mutuellement) la magie de ce phénomène.

Ce sont des moments d'une rare intensité doublés d'une indéniable importance pour permettre votre cheminement et votre évolution. Une rencontre, c'est le phare au milieu de la nuit, le rayon de soleil à travers le nuage, la boussole en plein désert.

Je veux évidemment vous raconter quelques-unes de ces rencontres très significatives mais je dois vous avouer que le choix n'en a été que plus que difficile tellement elles se sont multipliées depuis un an.

J'ai déjà rappelé ma première programmation, celle

qui m'a conduite vers un guide, une personne en mesure de me diriger un certain temps et de m'apporter la réponse à plus d'une question. Sans entrer dans tous les détails j'aimerais quand même signaler quelques précisions amusantes, mais non moins surprenantes, entourant cette rencontre.

Rencontre avec Jean

Environ trois semaines après m'être programmée en vue de rencontrer un guide, une de mes amies m'informe qu'elle allait se faire « tirer » aux cartes chez une cartomancienne. Ayant déjà fait cette expérience beaucoup plus pour m'amuser et me distraire que par grande conviction, je ne m'intéressai pas tellement à cette information et n'avais pas du tout l'intention d'y accompagner mon amie.

Par ailleurs, la semaine précédente, j'avais « par hasard » choisi le nom d'une esthéticienne afin de prendre rendez-vous pour un massage. C'était vraiment la toute première fois de ma vie que j'avais cette idée et suis bien certaine qu'elle me vint de mon subconscient.

Je retournai à quelques reprises chez l'esthéticienne et je dois dire que le grand bien de ses massages n'eut d'égal que les conversations échangées avec elle. Je découvris de grandes connaissances chez cette personne et pensai même au tout début que c'était peut-être la réponse à ma programmation. Mais je n'en étais pas certaine.

À ma première visite j'appris beaucoup et elle me parla, entre autres, d'une personne nommée Natacha Kolessar susceptible de répondre à certaines questions précises dont plusieurs concernant nos vies antérieures. Elle me donna même le numéro de téléphone de cette dame.

Sans délai, je téléphonai à Natacha pour avoir un rendez-vous. A mon grand regret elle ne put me recevoir: ses occupations familiales l'accaparaient beaucoup et mises à part les conférences hebdomadaires qu'elle donnait, elle ne pouvait, faute de temps, se permettre des consultations privées. Elle m'invita donc à me rendre à une de ses conférences, ce que je n'ai pas encore eu l'occasion de faire.

J'avais donc ce nom de Natacha Kolessar tout frais en mémoire lorsque, une semaine plus tard, mon amie m'avait parlé de sa « tireuse » aux cartes. Me téléphonant pour me raconter le résultat de sa visite, elle me dit que cette dame connaissait un conseiller en alimentation naturelle et en santé qui faisait des recherches en sciences cosmiques.

Désireuse de me procurer des aliments dits « naturels », je saisis l'occasion qui se présentait d'autant plus que les sciences cosmiques m'intéressent au plus haut point.

Je notai soigneusement le nom et l'adresse ainsi que le numéro de téléphone de ce monsieur. J'en étais quelque peu surprise, car je croyais que les femmes surtout s'intéressaient à ces questions. Je réalise maintenant qu'il existe autant d'hommes que de femmes désireux d'atteindre le plus haut degré d'évolution et avides de parfaire leurs connaissances tant au sujet des sciences cosmiques que des autres disciplines.

Quelque peu sceptique et craintive, je prends quand même un rendez-vous. Jean me fait entrer chez lui et me salue avec sa bonne humeur que je lui sais « habituelle » maintenant. Il m'invite à m'asseoir car il doit terminer une conversation téléphonique.

A tout hasard je commence à lire un document écrit à la main et déposé sur une table près de ma chaise: d'une façon simple mais convaincante, on y fait l'éloge de Jean, tant pour ses qualités personnelles que pour ses connaissances théoriques et pratiques en matière de science cosmique. Magnétisme, télépathie, télékinésie, phychométrie, autohypnose... etc. semblent, d'après ce document, le contexte normal et habituel de Jean.

L'auteur de cette description inspire vraiment une grande admiration pour mon « conseiller en alimentation ». Et voilà que je découvre la signature de l'auteur de ce document tellement positif à l'égard de Jean: Natacha Kolessar. Dès cet instant, je commence à penser que les « aliments naturels » ne sont probablement qu'une entrée en matière et que Jean m'apportera sûrement beaucoup plus.

Je ne me trompais pas, si ce n'est que la réalité a définitivement de beaucoup dépassé mes espoirs. J'avais enfin trouvé ce guide que j'avais demandé au ciel de mettre sur ma route.

Je continue de rencontrer Jean de façon régulière et le considère comme un véritable ami, sincère et franc: il ne craint pas la vérité au risque de vous faire mal; il sait écouter tout en vous enseignant; il vous fait profiter de ses qualités tout en faisant la lumière sur les vôtres.

Encore une fois je veux le remercier et souhaite apporter à son évolution la même richesse que celle qu'il m'a procurée et me procure encore aujourd'hui.

Sous les feux de sa lanterne, ma route, quoique sinueuse parfois, a maintenant trouvé, dans ma tête et dans mon cœur, toute sa justification et sa raison d'être: joies et peines, bonheurs et déceptions, victoires et luttes y trouvent leur place logique et cohérente, sereinement acceptable.

Notre communication n'a plus exactement le même sens qu'au tout début où je me sentais tellement désemparée. Lorsqu'une personne répond à un besoin spécifique de votre évolution, cela ne veut pas dire qu'il en sera toujours ainsi. Cette personne doit vous apporter ce pourquoi elle a été placée sur votre route, pour vous laisser ensuite voler de vos propres ailes vers le ou les autres guides tout au long de votre vie.

Vous êtes et serez vous-même temporairement le guide de certaines personnes et réaliserez que votre rôle vis-à-vis des autres est limité mais absolument essentiel. D'où l'importance de ne pas centrer toutes ses énergies sur son conjoint ou son compagnon de route si l'on veut conserver l'équilibre et l'harmonie en permettant à chacun d'accomplir sa tâche respective et en respectant son degré d'évolution personnelle.

Chaque couple vit son « intimité » et son « exclusivité » selon des principes et un idéal communs. Mais il ne faut pas oublier qu'il est fondamental de conserver une certaine autonomie pour s'épanouir. Tel que l'illustre si bien Khalil Gibran dans Le Prophète:

« Emplissez chacun la coupe de l'autre mais ne buvez pas à une seule coupe. Partagez votre pain mais ne mangez pas de la même miche. »

La programmation favorise cet état d'esprit d'individualisme complémentaire.

Georges Labrie

On choisit parfois un livre, mais la plupart du temps c'est le livre qui nous choisit; et, plus souvent encore, par l'intermédiaire d'une personne qui nous en conseille la lecture. Un livre représente aussi une importante source de références et des réponses à nos attentes.

Ma rencontre avec Georges fait suite à une programmation concernant certaines questions sur les relations homme-femme, le sens profond du couple et la possibilité de réussite du mariage. J'avais, bien sûr, beaucoup écouté, discuté et lu sur le sujet mais mon esprit curieux demandait autre chose.

Je ne savais pas le moins du monde ni comment ni à quel endroit j'arriverais à trouver ces explications tant recherchées et je décidai de confier ce travail à mon subconscient.

Cette fois encore c'est un enchaînement de circonstances tout à fait spécial qui me fit rencontrer Georges Labrie et, comme après toute rencontre inattendue, celle-ci me laissa quelque peu surprise et perplexe. Je n'ai jamais revu cette personne depuis mais j'espère, grâce à ce livre, pouvoir lui parler à nouveau afin de la remercier personnellement de son court mais très important passage dans ma vie.

Je revenais du bureau, un jeudi soir, lorsqu'il me passa par la tête l'idée inhabituelle de faire un arrêt au « Bouvillon », un restaurant-terrasse tout près de chez moi. Je me souviens même de m'être demandé ce que j'allais faire à cet endroit car je n'avais aucune personne spéciale à y rencontrer et n'avais pas le goût de prendre un verre. Mais une force inexplicable me poussait à m'y rendre ne serait-ce que pour quelques minutes.

Assise à la terrasse, je commandai un thé glacé, ne comprenant toujours pas le pourquoi de ma présence à cet endroit.

Quelques minutes plus tard, toujours à mes pensées et à mon breuvage, je vis s'approcher de ma table un grand jeune homme, l'air calme et sûr de lui, et avec lequel je sympathisai immédiatement.

On aurait dit un elfe sorti d'un conte de Tolkien ou encore un ange tel que nous pouvions l'imaginer dans notre enfance. Encore aujourd'hui, son souvenir est entouré d'une ambiance d'irréel, d'une atmosphère presque féerique que j'aurais sûrement plaisir à retrouver pour revivre quelques minutes cette douce paix que je ressentis en écoutant la voix de cette personne.

Mais peut-être que mon subconscient me conduisit vers Georges sachant que ses paroles apporteraient des réponses à certaines questions que je me posais à cette époque et que là devait s'arrêter notre échange.

Nous avons discuté longuement, comme des amis de

toujours, et lorsque l'heure avancée nous obligea à nous séparer pour retourner à notre bercail respectif (lui à l'hôtel et moi à mon appartement) je constatai comme le temps avait filé rapidement.

Les dernières paroles de Georges lors de cette première rencontre furent pour me suggérer la lecture de *J'ai vécu sur deux planètes* et pour me demander mon numéro de téléphone; il souhaitait me revoir dans quelque temps pour discuter de ce livre. Je lui donnai mon numéro de téléphone personnel (ce que je fais rarement) et celui du bureau car il m'arrive souvent de ne pas répondre à la maison.

J'achetai le livre dès le lendemain, et en moins d'une semaine j'en avais déjà terminé la lecture mais non compris tout le sens, comme je pus le réaliser ultérieurement.

Georges me rappela exactement deux semaines après notre rencontre et je dois avouer que j'attendais cet appel avec anticipation et fébrilité car j'avais hâte de discuter de ma lecture et de connaître l'opinion de Georges à ce sujet.

Nous décidâmes, sur l'invitation de Georges, d'aller souper au restaurant, endroit propice à la discussion.

Quelques minutes après le début du repas qui, soit dit en passant était délicieux, d'autant plus qu'on l'arrosa d'un « rosé de Neuville », je réalisai, après quelques paroles échangées, n'avoir compris qu'un volet du livre c'est-à-dire tout l'aspect « réincarnation »; l'autre aspect, celui touchant « aux âmes sœurs » m'avait totalement échappé.

J'avais, bien sûr, pressenti à travers les lignes et les mots cette notion d'« âmes sœurs » jusqu'alors tout à fait inconnue pour moi mais sans en capter le sens réel profond. Je crois avoir déçu Georges qui dissimula à peine sa surprise, je dirais même sa tristesse, après m'avoir écoutée.

Il aurait désiré, je le réalise aujourd'hui, trouver en moi plus de compréhension et d'évolution et pourtant, malgré mon ignorance, je découvris dans ses yeux et dans sa voix une certaine affection qui ne put me laisser indifférente.

Cette soirée prit fin beaucoup plus rapidement que la première. Avais-je érigé un mur entre nous ou préférait-il attendre de trouver une plus grande maturité chez moi? Je ne saurais le dire, mais je sais qu'il désirait améliorer notre communication puisqu'il me suggéra un second livre « *L'Amour vraiment conjugal* » que je m'empressai d'acheter, tout comme la première fois.

Georges devait me rappeler « un de ces jours » pour poursuivre nos discussions et échanges sur ce deuxième livre proposé. Il ne l'a jamais fait. Cette attitude me laissa et me laissera toujours perplexe si je n'ai pas la chance de le revoir et d'en discuter avec lui.

D'une part, son bref passage dans ma vie comporte en soi toute sa raison d'être car, avec le temps, la substance des deux lectures suggérées par Georges a nettement amélioré les rapports entre mon ami et moi.

D'autre part, ayant fait changer mon numéro de téléphone quelques jours après notre seconde rencontre, et ce pour des raisons tout à fait personnelles et sans relation aucune avec Georges, je me demande encore s'il a essayé de me joindre et s'il n'interpréta pas ce changement de numéro comme un message à son égard.

Sensible comme j'ai cru le percevoir je ne serais aucunement surprise de l'avoir involontairement blessé par cette situation. Pourtant, j'avais donné à Georges mon numéro de téléphone du bureau.

Quoi qu'il en soit, Georges ne l'a sûrement pas vu de la même façon puisqu'il ne me donna jamais plus signe de vie.

On ne peut évidemment revoir toutes les personnes qui, par leurs paroles ou par leurs actes, nous ont apporté une aide directe ou indirecte, contribuant ainsi à notre évolution, mais nous conservons parfois une place spéciale pour certaines d'entre elles.

116

Et si jamais ma route croise à nouveau celle de Georges, avec plaisir je ferai avec lui le point sur ce deuxième livre qu'il m'avait suggéré, ainsi que sur lui-même avec qui je partage toujours mon amitié, si bref que fût son passage dans ma vie.

Isabelle et Gaston

L'histoire de Georges se poursuivit en quelque sorte à travers les deux livres qu'il m'avait suggérés.

D'une part, *J'ai vécu sur deux planètes* avec son concept des « âmes sœurs » m'avait laissée perplexe et pleine de nouvelles interrogations, mais mon subconscient veillait à me guider vers les explications que je cherchais. D'autre part, le second livre, *L'Amour vraiment conjugal,* constitue à lui seul une véritable petite « mine d'or » de laquelle j'extrais souvent et régulièrement d'inépuisables richesses.

Plusieurs mois après la lecture du premier volume je n'avais encore rencontré personne susceptible de m'éclairer à propos des « âmes sœurs ». Et je ne cherchais pas « consciemment » cette explication. J'avais rangé ce bouquin, me proposant de le relire un jour.

Assistant à une conférence, lors d'une fin de semaine de yoga, à Eastman, la lumière se fit à ce propos.

La conférencière, par ailleurs fort intéressante et fort sympathique, ramena à mon esprit, pour je ne savais quelle raison, le sujet des « âmes sœurs ». Je dis « pour je ne savais quelle raison » car tout se fit au niveau de l'inconscient. En effet, à aucun moment le sujet de la conférence n'effleura de près ou de loin le sujet des « âmes sœurs ». Mais je sentais que cette personne pourrait m'aider à comprendre ce fameux livre, si bien qu'immédiatement après la conférence je me dirigeai vers elle pour lui demander à brûle-pourpoint: « Connaissez-vous le livre *J'ai vécu sur deux planètes?* »

Nullement surprise, comme si elle attendait d'avance cette question de ma part, et sans rapport avec les propos de la conférence, elle me répondit le plus simplement du monde:

« Oui, mais je préfère que Gaston (son époux) te réponde à ce sujet. J'ai effectivement lu ce livre, mais Gaston, lui, l'a vécu et il pourra plus facilement t'expliquer les « âmes sœurs ». »

Et Gaston arriva à Eastman vers la fin de l'après-midi. M'empressant de faire connaissance avec lui, je le trouvai aussi charmant et attachant qu'Isabelle, sa chère épouse, notre conférencière.

Il m'expliqua la réalité des « âmes sœurs », afin de nous aider à constater, le lendemain, au cours du dîner dominical auquel mon ami avait décidé de m'accompagner, si nous étions effectivement, mon ami et moi, ces âmes sœurs que le temps et la distance ne peuvent séparer.

Il est parfois difficile d'accepter la séparation et l'éloignement sans souffrir profondément. Mais comme l'écrit Khalil Gibran en parlant du mariage:

« Et tenez-vous ensemble, mais pas trop proches non plus:
Car les piliers du temple s'érigent à distance,
Et le chêne et le cyprès ne croissent pas dans l'ombre l'un de l'autre. »

(Khalil Gibran, *Le Prophète*)

Le temple que nous érigeons, est fait de travail et de renoncement, mais bientôt s'y dresseront fièrement, tout à côté, le chêne et le cyprès que nous sommes, entourés, je l'espère, de quelques fleurs bercées par le doux vent de notre amour.

Elizabeth

Désirant, comme à chaque mois, prendre un rendez-vous pour me faire épiler les jambes à la cire, je décidai « pour je ne sais quelle raison » de téléphoner à un nouveau salon tout près de chez moi.

Ces derniers mois, j'allais régulièrement près de mon bureau, sur mon heure de dîner. Mais tout à coup je décidai de faire faire l'épilation après 4h30, voulant prendre le temps de relaxer. Ne connaissant aucun salon « dans mon coin » j'en choisis un « à tout hasard » dans le bottin du quartier, et pris un rendez-vous.

Je fis alors la connaissance d'une autre personne extraordinaire: Elizabeth. En plus de ses incontestables talents d'esthéticienne, cette personne est vraiment douée d'un don naturel de médium et peut en quelques minutes projeter la lumière sur des questions jusqu'alors demeurées sans réponse pour vous. Elle prétend ne pas donner « elle-même » ces réponses, mais n'être qu'un instrument par lequel passent les messages.

Quoi qu'il en soit, j'avais à ce moment précis un sérieux problème à résoudre et, comme par enchantement, les paroles prononcées par Elizabeth m'apportèrent compréhension, patience et paix intérieure.

Chacune de mes rencontres avec Elizabeth s'avéra d'ailleurs très significative et enrichissante et je pensais ne plus jamais devoir changer d'esthéticienne tellement je profitais de nos échanges.

Mais la réalité fut tout autre au moment où Elizabeth m'informa que certains impératifs personnels l'obligeaient à fermer boutique pour se consacrer à un autre travail.

Un peu triste mais facilement résignée, je lui fis mes adieux en lui souhaitant beaucoup de bonheur et je me remémorai les paroles qu'Elizabeth avaient si souvent prononcées:

« Il faut être *neutre*. Il faut vivre ce que l'on a à vivre chaque jour en essayant de se détacher suffisamment pour être prêt à tout laisser le moment venu. »

Autres rencontres

Les rencontres relatées précédemment revêtent une très grande importance et sont, de toute évidence, des réponses précises à certaines questions que je me posais. Il en est plusieurs autres, aussi importantes, dont je ne parlerai pas dans ce livre.

Il y en a aussi, plus nombreuses encore, et d'une certaine manière aussi importantes car, si brèves furent-elles, elles m'apportèrent des réponses « instantanées » à des problèmes moins graves mais quand même présents chaque jour.

Ces rencontres, que nous le remarquions ou pas, ne sont pas davantage dues « au hasard » que les autres. Combien de fois, dans une journée, n'entendez-vous pas quelqu'un prononcer exactement le bon mot, au bon moment et qui répond justement à votre attente! C'est encore le travail de votre subconscient qui, sans relâche, va chercher chez les autres ce dont vous avez besoin. Sachez écouter, c'est à votre avantage!

Développement personnel et carrière

Je l'avouais, au début de ce livre, ma vie a vraiment pris un tournant grâce à la programmation. De pessimiste et triste que j'étais, me voilà remplie d'énergie, pleine de projets à réaliser. Alors que les jours me semblaient interminables, je voudrais pouvoir aujourd'hui les allonger pour mener à bonne fin tout ce que j'entreprends.

Activités professionnelles ou culturelles ont réellement changé en ce qui me concerne, et pas seulement de par mon attitude mentale mais à cause surtout de réalisations on ne peut plus concrètes et palpables qui, sans le moindre doute, sont le résultat tangible de mes nombreuses programmations.

Il y a encore beaucoup de chemin à faire mais la différence est tellement marquante de mois en mois, et même de semaine en semaine, que je n'oserais plus regarder en arrière pour y revoir la Michèle triste et inactive si ce n'était de ce livre par lequel je veux vous convaincre qu'il n'y a pas de cas désespéré et que la personne la plus apathique peut devenir un vrai boute-en-train, une personne gaie et enthousiaste, lorsqu'elle sait s'y prendre.

Avancement au bureau

A l'emploi du gouvernement provincial je dois, comme tous mes collègues de travail, me conformer aux termes de notre convention collective pour tracer mon plan de carrière.

L'avancement d'échelon se fait automatiquement à certaines dates prévues par la convention alors que le changement de classe vous oblige à faire une demande spéciale à cet effet, de même qu'à vous soumettre à une entrevue devant jury lequel décide ou non du changement sollicité.

Si, par malchance, vous n'obtenez pas la recommandation du jury mandaté à cet effet, vous êtes tout simplement bloqué au dernier échelon de votre classe actuelle; impossible alors de vous présenter de nouveau avant l'année suivante.

Sans faire ici le procès de ces jurys, j'en profite pour exprimer la pensée de plusieurs à savoir que le tout se fait d'une façon assez arbitraire, sans critères bien spécifiques. Le tout semble plutôt laissé à la discrétion des membres du jury. Par conséquent, s'il vous est donné de subir l'entrevue avec un jury plus souple et se limitant à vous questionner sur votre travail, comme ce devrait l'être, vous avez les meilleures chances d'être promu à la classe suivante. Par contre, comme ce fut le cas pour moi et pour les autres qui se sont présentés la même année, si vous avez comme membres du jury une ou plusieurs personnes dont le seul but est de vous bloquer et de vous empêcher d'accéder à la nouvelle classe, vous échouez avec les « sincères regrets » du bureau du personnel et avec l'invitation amicale de vous représenter l'année suivante.

Cet échec m'avait laissé un goût plus qu'amer.

Habituée à réussir mes examens académiques, tant universitaires que secondaires ou primaires, de même que tous les concours de piano jusqu'au baccalauréat ainsi que les examens du Barreau, je n'arrivais pas à avaler cette pilule. Recalée au gouvernement! Pour être franche, il est vrai que le jury ne m'avait pas épargnée dans ses questions tout à fait inadéquates, mais avec ma tête de condamnée à mort, mon manque de confiance en moi et le peu d'enthousiasme qui se dégageait de ma personne, je me demande si quelqu'un aurait eu le goût de me donner un avancement de classe en pareilles circonstances.

Bien sûr, j'étais en mesure de répondre à toutes les questions concernant mon travail, mais le manque d'ambition et d'implication était quand même évident chez moi.

Quoi qu'il en soit, l'année se passa et, de nouveau, j'étais éligible à une deuxième demande pour avancement de classe. N'ayant pas encore accepté l'échec de l'année précédente et blessée dans mon orgueil j'étais bel et bien décidée à ne pas faire cette deuxième demande. Je me fichais d'être bloquée au même salaire et je ne voulais surtout pas prendre le risque d'être recalée une deuxième fois.

Mes amis et confrères de travail essayaient de me faire changer d'idée et de me convaincre de me présenter mais peine perdue; aucun argument ne venait à bout de ma décision que je disais irrévocable.

C'est alors qu'une amie me demanda pourquoi je ne programmais pas mon changement de classe. Si j'y croyais réellement, disait-elle, je devrais être certaine de réussir. La tentation était grande, mais mon orgueil aussi. J'hésitai jusqu'à la dernière minute et finalement décidai de faire ma demande officielle après avoir programmé comme me l'avait suggéré mon amie.

Mais je m'étais tellement répété depuis un an que je ne me soumettrais jamais à une seconde entrevue avec un jury que, tout en programmant mon avancement de classe, je pensais que cette entrevue n'aurait pas lieu à cause d'un changement de règlement, ou encore par une révision de mon dossier, ou je ne sais quel miracle.

D'une façon ou d'une autre, je refusais systématiquement l'entrevue et j'attendais la suite des événements, très heureuse chaque jour de ne pas recevoir de convocation dans mon courrier. Alors qu'à ma première demande d'avancement de classe je trouvais les délais beaucoup trop longs entre la demande et la convocation, je me réjouissais cette fois et j'espérais presque que ma demande soit égarée comme il arrive parfois dans toutes les paperasses du gouvernement.

J'avais rédigé ma programmation ainsi: « Je reçois mon avancement à la classe 2, par courrier, accompagné d'un montant rétroactif à ma demande écrite. » Je ne désirais pas d'entrevue mais mon subconscient m'avait sans doute empêchée de l'écrire parce qu'elle est obligatoire. Pour ma part, en programmant ainsi, je voyais clairement la lettre m'informant de ma réussite mais je « sautais » mentalement l'étape de l'entrevue convaincue qu'il se produirait sûrement quelque chose pour m'en dispenser.

Une petite parenthèse: je vous ai dit que si vous êtes convaincu de réussir vous aidez beaucoup votre subconscient à effectuer son travail, mais que ce n'était pas une condition *sine qua non,* et que si le conscient ne croyait pas, le subconscient continuait d'avancer dans le sens de la programmation.

C'était vraiment mon cas. J'étais certaine d'échouer à une deuxième entrevue, même si j'espérais le contraire, et je ne voyais pas « logiquement » comment je pourrais passer outre à cette entrevue puisque les règlements l'exigeaient.

Donc, d'une façon « consciente » j'entretenais les idées les plus négatives: je ne pouvais faire autrement, même avec la meilleure volonté du monde. Et, malgré tout, mon subconscient a réussi et, encore une fois, d'une manière que je n'aurais pas imaginée.

Je me souviens même d'avoir dit à quelqu'un: « Si

jamais je réussis cette programmation ce ne sera certainement pas à cause de mon optimisme et de ma confiance ou, si vous voulez, par « auto-suggestion », car je ne crois pas que cela va marcher cette fois. » Mon amie me répétait souvent de ne pas parler ainsi, que je ne m'aidais pas, mais c'était plus fort que moi.

Quelque temps après avoir envoyé ma demande au bureau du personnel, j'appris que l'un des membres du jury de l'année précédente était malade[1] et qu'il ne pourrait pas, cette fois participer aux entrevues. C'était justement celui que je redoutais le plus à cause de ses questions absolument hors de propos et qui, j'en avais la certitude, n'hésiterait pas à me recaler une seconde fois. Déjà un obstacle, et non pas le moindre, de surmonté, mais rien ne me garantissait que le nouveau jury serait plus souple que le premier.

C'est alors que j'appris quels seraient les membres du nouveau jury. Avec ces quatre personnes (j'en connaissais trois sur quatre) j'étais certaine d'avoir une entrevue solide et sérieuse, portant sur des questions de travail ou de qualité personnelle et non pas sur des questions d'économie mondiale ou de politique ministérielle comme lors de mon entrevue précédente.

De plus, une de ces personnes avait déjà été mon patron et pouvait donc poser des questions et orienter l'entrevue en toute connaissance de cause, en fonction de mon analyse des tâches et du travail relatif à mon secteur.

Tout cela me donna confiance et je decidai, quoique morte de peur, de me présenter à l'entrevue. On m'avait convoquée pour la semaine suivante.

Tout se déroula très bien. Il faut dire que j'étais alors beaucoup plus calme. Il se dégageait de ma personne, sans l'ombre d'un doute, plus d'enthousiasme que l'année

---

1. Ce membre du jury ne fut absent, pour cause de maladie, que « par hasard », justement au temps des entrevues. Autre coïncidence!

précédente. Je sortis de l'entrevue enchantée des membres du jury, de leurs questions intelligentes et pleines d'à-propos et je me disais qu'avancement de classe ou non j'étais heureuse d'avoir vécu cette expérience que je jugeais très enrichissante. Cela m'avait permis de faire une synthèse et une mise au point de mon travail et d'exprimer verbalement certaines idées élaborées à partir de diverses expériences déjà à l'essai.

Evidemment, tel que programmé, je reçus ma lettre annonçant ma promotion à la classe 2 ainsi qu'une « rétro » monétaire.

Fondamentalement, la base de mon travail est inchangée, mais mon attitude mentale vis-à-vis de ce travail est tellement modifiée que mon rendement n'en est que meilleur.

Un exemple. Auparavant je « subissais » une réunion de quelques personnes à laquelle je devais participer; aujourd'hui je prends l'initiative d'en convoquer moi-même et suis parfaitement à l'aise, quel que soit le nombre de participants.

Je me vois confier des responsabilités toujours plus grandes et intéressantes et cela me semble tout à fait naturel, compte tenu de ce que je suis maintenant c'est-à-dire « moi-même ».

Je représente mon employeur sur plusieurs comités dont les membres proviennent tant de l'entreprise privée que publique et je sens que ma participation active y est grandement appréciée. J'aurai peut-être même le plaisir de me rendre à Regina à titre de déléguée pour le ministère. Si l'on m'avait dit cela l'année dernière, je ne l'aurais sûrement pas cru.

Ma communication, tant professionnelle que personnelle, avec les gens du bureau revêt maintenant un tout autre sens. Les barrières érigées par la timidité, la peur ou l'orgueil sont maintenant tombées et je peux désormais participer activement et entièrement aux objectifs de notre groupe de travail.

J'éprouve un réel plaisir à accomplir mon travail et les heures supplémentaires ne me sont plus une corvée. Chaque jour amène de nouveaux défis que j'aime relever à cause de la satisfaction personnelle et collective qu'ils procurent.

J'occupe toujours le même emploi mais en y mettant plus d'entrain et de créativité. J'essaie d'améliorer mon rendement et n'hésite pas à utiliser la programmation pour régler certains problèmes complexes: mon subconscient ne me déçoit jamais tant au travail que dans ma vie privée.

Par contre, je continue à « programmer » mon avancement personnel et souhaite accéder à des postes encore plus élevés si cela peut contribuer à mon évolution. A cet effet, une programmation tout à fait récente me permit une expérience formidable.

Je n'avais rien de spécial en vue mais sentais le besoin de changer d'ambiance et de travail afin de me ressourcer intellectuellement.

Je décidai donc, il y a quelque temps, de programmer mon subconscient en lui demandant « de me trouver l'emploi idéal pour me permettre d'évoluer et de m'épanouir à mon travail comme dans ma vie personnelle ». Le résultat ne se fit pas attendre longtemps; deux jours plus tard je recevais par courrier une « offre de mutation » pour un nouveau poste au sein du ministère pour lequel je travaille actuellement. Je répondais « exactement » à toutes les exigences du poste, tant du côté formation que du côté expérience de travail.

Je considérai cette offre comme une réponse concrète à ma programmation et décidai de poser ma candidature. Compte tenu des délais gouvernementaux, je n'ai pas encore de réponse officielle mais tels que se sont déroulés les événements je considère avoir une possibilité d'obtenir ce poste, et le souhaite vraiment.

Cette étape se veut une expérience enrichissante.

Elle m'a permis de me présenter à une entrevue présidée par Monsieur le sous-ministre Gilles Lachance.

A ma grande satisfaction j'ai vécu cette entrevue d'une façon calme et sûre de moi. Je me sentais « à la hauteur » et « compétente » pour ce poste. Lorsque je dis « à la hauteur » je ne parle pas de classe sociale ou de « standing » bourgeois, mais simplement que je me sens apte à accomplir ce travail. J'ai d'ailleurs toujours pensé que la valeur intrinsèque d'un individu ne dépend pas de son « standing » et qu'un être humain, roi ou valet, riche ou pauvre, a ses forces et ses faiblesses et mérite le respect de ses semblables.

Pour moi, le plus important n'est pas d'obtenir ce poste. Je suis certaine que plusieurs autres candidats sont parfaitement qualifiés pour être choisis, mais j'ai la profonde conviction que je pourrais, si la tâche m'était confiée, fournir un excellent rendement tout comme je le fais à mon poste actuel.

Je réalise avoir franchi cette étape de la peur du nouveau et de l'inconnu, et d'une certaine inertie dans le confort et la sécurité. Pour moi, cette étape constitue une grande victoire que je souhaite à tous les hommes et à toutes les femmes du monde.

Evidemment, le Québec offre une situation privilégiée qui favorise l'épanouissement individuel et tous n'ont pas la chance de vivre dans une telle démocratie où l'ambition personnelle a encore sa place.

Personnellement, je souhaite que cette démocratie subsiste afin que mes enfants puissent vivre ce cheminement personnel sans être brimés dans leur droit le plus fondamental de développement physique, intellectuel et moral et dans un contexte de liberté de pensée vitale pour l'être humain.

Peut-être qu'entre-temps il se présentera autre chose en réponse à ma programmation et peut-être que même ce livre fait partie de cette réponse, car je dois vous avouer que sa rédaction a pris naissance dans des circonstances spéciales assez récentes.

En effet, ma première démarche auprès de l'éditeur n'avait comme but que la publication de fiches-messages accompagnées d'une série questions-réponses afin de vous expliquer brièvement le système de la programmation du subconscient. Mais, à la demande de l'éditeur, j'entrepris la rédaction de ce livre et je tiens à lui exprimer ma profonde gratitude car ce fut pour moi une expérience et un défi tout à fait uniques.

De plus, j'ai découvert chez moi un goût, presque une passion, pour l'écriture. J'avais déjà éprouvé une grande satisfaction à entretenir une correspondance assidue avec des amis, mais sans jamais vraiment réaliser l'importance que prenait la « forme » de cette correspondance dans ma vie. Il m'avait toujours semblé tout à fait naturel d'avoir le désir de communiquer par écrit ou verbalement avec des êtres chers. Mais je n'avais jamais imaginé avoir tant de plaisir à écrire pour vous tous, chers lecteurs, que je ne connais pas.

Et si, par surcroît, j'ai le très grand bonheur d'apprendre un jour que ce livre a pu aider quelqu'un d'une façon ou d'une autre, ne serait-ce qu'en lui apportant un moment de détente et de plaisir, ma satisfaction n'en sera que plus grande.

Do you speak english?

Une autre grande réalisation cette dernière année est, à coup sûr, l'amélioration de ma connaissance de la langue anglaise.

Il est peut-être inadéquat d'insister sur ce sujet dans notre belle province où « c'est en français que ça se passe », mais c'est une ambition que je chérissais particulièrement que de pouvoir m'exprimer, écrire et parler sans problème dans la langue de Shakespeare.

Pour moi, le fait de posséder une autre langue, surtout la langue anglaise, m'ouvrait des portes et brisait des frontières.

J'avais, bien sûr, reçu une bonne base à l'école et entendu mes parents, parfaitement bilingues, mais les circonstances firent que je n'avais jamais réellement eu l'occasion d'utiliser cette langue soit au travail soit avec mes amis, la plupart de langue française.

Après avoir programmé à ce sujet, une série d'événements fit en sorte qu'aujourd'hui j'ai sûrement amélioré mon rendement de 100 p. cent pour l'anglais parlé et écrit.

Il y eut d'abord mes vacances au bord de la mer. Seule pour deux semaines, j'avais décidé de me reposer et de profiter du soleil de Miami. L'hôtel choisi sur la recommandation d'un collègue de travail, pour ses prix raisonnables et son confort, me plut immédiatement. Dès mon arrivée je réalisai qu'il s'agissait d'un hôtel dont le personnel et les clients étaient en très grande majorité « anglais ». C'était pour moi l'occasion rêvée d'ajouter un bain d'anglais au bain de mer. De plus, étant seule, je ne risquais pas la facilité de parler français avec un ami ou un parent.

Par contre, ne sortant jamais le soir, les rencontres m'apparaissaient plus difficiles mais j'étais bien décidée à faire une cure de repos et de détente et ne voulais surtout pas avoir quelqu'un sur mes talons. Les deux premières journées furent assez calmes et je ne crois pas avoir dit plus que quelques phrases en quarante-huit heures: soit au *beach-boy* pour la location hebdomadaire de ma chaise longue et à la personne préposée à l'entretien des appartements pour la saluer et lui demander une serviette supplémentaire pour mes cheveux. Je n'avais même pas le loisir de parler au personnel de restaurants, prenant tous mes repas, ou presque, dans ma cuisinette (question d'économie et de compagnie).

Tout changea la troisième journée lorsque je fis la connaissance de Gerald qui, je dois le dire, a grandement contribué à approfondir mes connaissances sur la programmation et la psycho-cybernétique en plus de me faire pratiquer la langue anglaise.

Gerald est le genre de bonhomme très gai, très « vivant » et toujours à la recherche de nouvelles conquêtes d'un soir. Sans être experte sur cette question, j'ai suffisamment d'expérience et de psychologie pour savoir capter ce genre d'individus et surtout l'intelligence de le fuir avant même qu'il ne se lance dans ses tentatives de séduction.

Néanmoins, certaines circonstances rendent propice la communication entre les gens et c'est le cas lorsqu'un groupe de personnes se prélasse paresseusement les pieds dans le sable et le corps baigné des chauds rayons du soleil.

C'est alors que Gerald y alla de son petit numéro, mais mon attitude et mes paroles lui servirent de douche froide et portaient un message on ne peut plus clair. Et j'imagine qu'il n'en fut pas trop déçu car il continua à me parler tous les jours entre dix heures du matin et quatre heures de l'après-midi. Je l'avais averti que je ne sortais pas le soir mais cela ne l'empêcha pas de poursuivre la communication qui prit alors un tout autre sens. Je découvris au fond de cet individu volage, et qui ne s'en cachait d'ailleurs pas, un être intelligent et très connaissant en matière de relations humaines.

Nous avons discuté des heures (en anglais) et il se faisait un plaisir évident, à ma demande, de corriger mes fautes d'expression ou d'accent. Il m'apprit quelques expressions et proverbes typiques à la langue anglaise qui, tout en m'amusant, m'aidaient à approfondir mes connaissances. Et il me parla des cours qu'il donne à temps partiel à l'Université de Toronto au sujet de la psycho-cybernétique.

Après m'avoir assurée que toute sa réussite professionnelle (importante maison de courtage immobilier dont il est le président, chevaux de course à Miami, professeur à l'Université et quelques activités secondaires payantes) était basée sur la « programmation », il me conseilla l'achat de certains livres anglais qui en expliquaient le processus de façon détaillée. J'avais déjà une bonne connaissance de base, fruit de mes lectures précédentes, mais l'aspect purement scientifique de la programmation me fut révélé grâce aux livres suggérés par Gerald.

Je lui en suis d'ailleurs très reconnaissante et remercie le ciel (ou mon subconscient) d'avoir permis notre rencontre.

If you read this book, Jerry, I want to thank you again and to tell you that I am still riding on a rainbow. Since the time you told me "Welcome to my world" I have changed very much (for the best) and I am sure that you would be proud of your student.

De retour à Montréal, je m'empressai d'acheter tout ce qui était publié sur la psycho-cybernétique. Et moi qui n'avais jamais eu le courage de lire un seul livre anglais, je dévorais ceux-ci armée de mon dictionnaire et de mon désir d'en connaître davantage sur le subconscient et la programmation. Ce fut probablement ce travail qui contribua le plus à perfectionner mon anglais.

Dès lors, je sentis le besoin d'écouter les émissions de radio et de télévision en anglais et je réalisai que même si je perdais quelques mots j'étais en mesure de suivre le sens de l'histoire et que, loin de me fatiguer comme c'était le cas auparavant, je prenais maintenant un réel plaisir à écouter les émissions en langue anglaise.

J'avais la nette impression de m'améliorer chaque jour, et le choix d'émissions était, bien sûr, beaucoup plus vaste et plus intéressant.

Pour vous montrer à quel point le subconscient va chercher toutes les ressources possibles afin de réaliser votre programmation, j'eus même l'occasion d'utiliser la langue anglaise à mon travail. En effet, je remplaçai un confrère de travail, temporairement absent pour cause de maladie, sur un comité de formation industrielle et il se trouva que la majorité des membres de ce comité étaient de langue anglaise. D'un commun accord nous fîmes de la langue anglaise la langue de travail quitte à poser quelques questions supplémentaires s'il y avait incompréhension. Ce fut une expérience formidable qui ne fit qu'accentuer ma détermination.

Je ne suis pas encore parfaite bilingue mais je réalise des progrès chaque jour et cela est très stimulant.

Les contes de mon grand-père

Cette programmation eut un résultat assez exceptionnel et plus que satisfaisant.

Je dois d'abord vous dire que mon grand-père maternel, Joseph Levert, vécut plusieurs années dans ma famille. Il est mort à l'âge de quatre-vingt-un ans, alors que je n'avais que sept ans. C'était en 1956.

Très attachée à grand-papa, cette perte fut pour moi le premier contact brutal avec la réalité de la mort. Ma perception de la mort est bien changée aujourd'hui, mais la petite fille de l'époque était inconsolable à l'idée de ne plus jamais revoir son grand-papa et de ne plus l'entendre raconter ses histoires toutes plus intéressantes et captivantes les unes que les autres.

Je gardai un très bon souvenir de mon grand-père mais le souvenir des histoires, lui, s'estompait avec les années pour finalement devenir un méli-mélo dans ma tête. Je n'arrivais jamais à reconstituer correctement une seule histoire complète.

Cela me chagrinait d'autant plus que j'avais beau chercher dans les librairies et les bibliothèques, je ne trouvais jamais ces récits de mon enfance. Je décidai donc de remiser à tout jamais ces joies enfantines que je ne pourrais jamais partager avec mes enfants si j'ai un jour le bonheur d'en avoir.

Ayant fait la connaissance d'une personne très expérimentée dans la communication avec l'au-delà, et très impressionnée par cette possibilité, je me mis dans la tête d'entrer en communication avec mon père décédé et aussi, bien sûr, avec grand-papa Levert.

Mes expériences dans ce domaine sont particulièrement intéressantes mais elles débordent le cadre de ce livre, aussi, je ne m'y attarderai pas. Mais pour les fins de ce qui va suivre, disons que je demandai à ma mère une photographie de grand-papa, histoire de m'aider à établir la communication.

Je glissai cette photo dans mon sac à main et la regardais fréquemment avec une certaine nostalgie. De là me vint l'idée de « programmer » mon subconscient pour que je puisse me remémorer les fameux contes de mon enfance.

En fait, je n'avais jamais réellement renoncé à cette phase de ma vie si féerique et si fantaisiste et dans laquelle je me plais encore à voyager. Une des meilleures thérapies, en ce qui me concerne, est sans aucun doute le retour « aux contes de fées » où tout devient réalité, où tout est permis: poudre magique de perlin-pinpin, génie de la lampe, métamorphoses et prince charmant sont des compagnons avec lesquels j'évolue aisément et très naturellement.

Peut-être mon inconscient utilisa-t-il cette porte d'entrée pour finalement se révéler si bien aujourd'hui? D'ailleurs, je travaille actuellement à la rédaction d'un magnifique conte de fée basé sur toute la réalité de notre potentiel humain. Ce sera en quelque sorte le miroir de ce livre-ci mais un miroir fait de symboles et de fantaisie, un miroir reflétant le charme et la tendresse, un miroir à la portée des tout-petits mais que vous aurez quand même intérêt à lire si vous voulez retourner à la pureté et à la naïveté de vos sources ce qui, en fin de compte, devrait être le but ultime de votre vie après vous être dépouillé de tout élément superficiel et lorsque, à l'aube, vous serez enfin prêt à laisser votre esprit vivre sa liberté.

Trêve de philosophie, quoique je pourrais, avec plaisir, continuer un bon moment sur le sujet. Je disais donc que mon désir était d'écrire ces contes, mais après m'en être remémoré les moindres détails.

Eh bien, cette fois on peut dire que j'ai vraiment reçu « la lune sur un plateau d'argent ».

Quelques jours après avoir écrit ma programmation j'en parlai à ma mère. Sur le moment, elle n'eut aucune réaction mais le lendemain elle me téléphona à ce sujet. Elle s'était souvenue que grand-papa, à sa demande, avait écrit les contes de mon enfance. En fait, le but de maman n'était pas tellement d'immortaliser les contes comme tels. Elle y voyait plutôt un moyen de distraire mon grand-père qui ne pouvait plus voyager à cause de son âge. C'était environ deux ans avant sa mort. Elle l'avait assuré que ces petits-enfants lui seraient très reconnaissants de ce travail. Elle ne pouvait mieux dire et prédire!

Mais voilà, où était-il ce fameux recueil? Personnellement, je n'en avais jamais vu l'ombre, ni même entendu parler. Je me disais que c'était trop beau pour être vrai et suppliais ma mère de le trouver.

Après tant d'années, on oublie et on perd tant de choses. C'était le cas pour ce cahier remisé on ne savait plus où. Mais en s'y arrêtant, maman se souvint de l'avoir confié à une de ses sœurs afin que cette dernière puisse le transcrire à la machine car il faut ajouter qu'il était entièrement écrit de la main de grand-papa.

Mais ma tante avait-elle conservé ce précieux trésor? Les premières démarches se révélèrent infructueuses mais à force d'insistance et de persuasion elle le trouva enfin et me le remit à ma grande joie et surtout à mon grand soulagement.

Et lorsque, enfin, je pus tenir dans mes mains ce précieux héritage je compris une fois de plus la puissance de la programmation.

J'espère publier un jour ce recueil à la mémoire de celui qui a écrit chaque page de sa main avec toute l'affection que je lui ai connue lorsqu'il nous prenait sur ses genoux pour nous raconter ses histoires.

Ce livre et les fiches-messages

Je n'ai pas, à proprement parler, programmé la rédaction de ce livre mais j'ai déjà mentionné qu'il s'agissait peut-être d'une réponse, du moins partielle, à l'une de mes programmations concernant l'emploi idéal.

Quant aux fiches-messages comme telles, outre le fait de constituer pour moi d'efficaces outils de programmation, elles représentent en elles-mêmes une réponse très positive et très concrète à une autre de mes programmations.

Si vous vous rappelez mes premières lignes, je vous faisais part du malaise ressenti face à la vie et à ma raison d'être en ce monde. Le besoin de me rendre utile est profondément ancré chez moi, mais je n'ai pas encore réussi à le combler entièrement.

Je sollicite mon subconscient pour que, dans toute sa sagesse et sa connaissance, il m'inspire le ou les meilleurs moyens d'utiliser mon potentiel, tant intellectuel qu'affectif, afin que j'apporte ma contribution à mes semblables, à ma famille, à mes amis et à la société.

En programmant de la sorte, je donnais à mon subconscient carte blanche, du moins en principe, et m'engageais d'une certaine façon à agir selon ses directives.

Mais, pour être franche, j'avais déjà ma petite idée sur le sujet.

Depuis longtemps ma conception d'utilité en ce qui me concerne personnellement était tout élaborée et, pour je ne sais quelle raison précise, je refusais d'élargir ou de modifier d'un iota cette conception. Je prenais pour modèle ma mère. Dès lors, la vie m'apparaissait toute simple: rencontrer un homme susceptible de faire un bon mari et un bon père de famille, épouser cet homme, le rendre heureux en fondant avec lui un foyer solide avec plusieurs enfants si cela était possible et souhaité des deux.

Mais voilà que cet objectif, toujours possible (en limitant le nombre d'enfants), n'est maintenant sûrement pas le seul à atteindre dans mon cas. Par exemple, ce livre que vous lisez présentement n'aiderait que quelques personnes que j'en serais très heureuse et trouverais « utile » de l'avoir publié.

« Bon Dimanche »

Il me vient une idée tout à coup et je veux faire une expérience de programmation avec vous aujourd'hui même, ce 25 février 1979 à 2 heures de l'après-midi.

Lisez avec attention ce qui va suivre.

Je viens tout juste d'écouter l'émission « Bon Dimanche » avec l'animateur Michel Jasmin.

Vers la fin de l'émission, Monsieur Jasmin, lors d'une entrevue avec un jeune chanteur français, a fait une allusion à mon homonyme, je parle, bien sûr, de la très grande actrice française Michèle Morgan.

On sait qu'il ne s'agit pas de son véritable nom mais d'un nom de théâtre choisi par la comédienne au tout début de sa grande carrière. L'actrice française n'étant pas encore tellement connue au moment de ma naissance, du moins de mes parents, c'est donc tout à fait fortuitement que j'héritai du même nom et cela ne m'ennuie pas le moins du monde malgré les inévitables allusions à ce sujet (j'y suis maintenant habituée), car j'ai pour cette personne une très grande admiration.

Pour en revenir à Monsieur Jasmin qui semble vouer autant d'admiration que moi à l'autre Michèle Morgan, il mentionnait « n'avoir pas eu la chance » de la rencontrer et s'informait de sa personne auprès du jeune chanteur qui, lui, la connaissait.

Eh bien, j'ai décidé, non pas de donner cette chance à Michel Jasmin car ce n'est vraiment pas de mon ressort, mais tout au moins de programmer avec lui une rencontre avec Michèle Morgan du Québec, en l'occurrence moi-même.

Je dois avouer que cette fois la chance sera pour moi et non pour lui car à chaque émission je me disais, en le voyant, que c'était un privilège d'être interviewer par cette personne dont le charisme m'a toujours fascinée.

Lors de cette même émission, notre grande chanteuse québécoise Madame Ginette Reno disait de M. Jasmin qu'il avait les plus beaux yeux du monde et cela m'a fait sourire car depuis la toute première fois où je le vis à la télévision j'ai toujours dit à qui voulait l'entendre qu'il n'avait pas des yeux mais plutôt des « lumières » pour vous regarder.

De toute façon vous serez en mesure de vérifier la réalisation de cette programmation si, comme moi, vous êtes un mordu de « Bon Dimanche » et de son animateur.

Chansons: paroles et musique

Un autre événement assez incroyable ou du moins improbable dans ma vie: j'ai à mon crédit la composition d'une quinzaine de chansons, paroles et musique, conséquence d'une programmation en ce sens.

Ne criez pas au miracle ni au génie car il ne s'agit pas de chefs-d'œuvre, mais je possède déjà une solide formation musicale acquise depuis ma tendre enfance chez les dames de la Congrégation où j'ai étudié pendant douze ans.

Mais j'avais quand même un problème: j'étais incapable de m'exprimer musicalement d'une façon libre et autonome et me sentais vraiment esclave du cahier et des grands compositeurs.

Ce handicap eut comme résultat le silence de mon piano pendant cinq longues années: je me sentais frustrée de ne pouvoir créer mon propre monde à travers une trame musicale de mon cru.

Lorsque je fis cette programmation, je n'avais même pas de piano. Il occupait encore la place d'honneur du salon dans la maison paternelle, soit à une trentaine de milles de Montréal. Mais j'espérais quand même m'y remettre un jour ou l'autre, et déjà commençait à se développer en moi l'embryon d'une nouvelle forme d'expression.

A la suggestion de ma mère, je déménageai mon piano chez une de mes tantes, à Ville Mont-Royal, celle justement où je demeurai deux années. Je me donnais ainsi la chance de pratiquer et de ne pas tout perdre tout ce que j'avais acquis avec le temps.

Et pour moi ce fut une grande révélation. Après avoir considéré le piano comme un instrument de travail sur lequel mes doigts jouaient certes de belles mélodies, mais quand même celles des autres, je le considérais tout à coup comme un ami avec qui je pouvais converser. Je lui confiais mes plus grandes joies et mes plus grandes peines, à travers mes propres compositions.

J'avais découvert une nouvelle forme d'expression et d'évasion saine et créative et j'attends impatiemment le jour où je pourrai avoir mon piano dans ma propre maison afin de pouvoir échanger avec lui quand bon me semble et pas seulement occasionnellement.

De toute façon je ne dois pas m'inquiéter outre mesure; si mon subconscient veut continuer à mener à bien cette programmation il trouvera certainement le moyen de réaliser mon rêve.

TROISIÈME
PARTIE

Le bonheur

J'ai décidé de consacrer une partie de ce livre au bonheur et pour deux raisons:

1° Mon principal but en vous expliquant l'art de programmer votre subconscient est de vous rendre heureux si vous ne l'êtes pas, et plus heureux encore si vous l'êtes déjà.

2° Le bonheur est un « état d'esprit » conscient. Or, j'ai réalisé que cet état d'esprit n'est pas absolument nécessaire au succès de la programmation mais qu'il en accélère le processus.

En d'autres termes, une personne qui acquiert l'habitude d'être heureuse permet à son subconscient un travail plus rapide et plus efficace.

Le subconscient travaille comme un ordinateur: lorsque vous programmez pour telle chose précise, et j'imagine qu'il s'agit de quelque chose d'agréable et susceptible d'ajouter à votre bonheur, votre subconscient prend les données et se met au travail.

Si, par ailleurs, vous entretenez, entre-temps, avant la réalisation complète de votre programmation, de sombres idées, quelles qu'elles soient, vous risquez de transmettre involontairement ces idées à votre subconscient (souvenez-vous de la double ligne de communication entre le conscient et le subconscient) qui, sans pour autant arrêter de travailler, est susceptible de faire quelques détours pour analyser et rejeter ces nouvelles données avant de poursuivre votre objectif de programmation.

Par contre, si vous entretenez un état d'esprit « heureux » vous favorisez grandement toutes vos programmations.

Les notions suivantes sur le bonheur proviennent, tout comme les notions sur le procédé de la pensée, du docteur Maxwell Maltz. J'ai délibérément choisi ce texte car il m'apparaît simple, logique, précis et très véridique. De plus j'ai personnellement expérimenté cette théorie du docteur Maltz et je peux vous assurer qu'elle est valable.

Mais, je souhaite que vous puissiez dépasser la théorie et être en mesure d'appliquer ces principes dans votre vie personnelle. A cette fin, je vous propose un peu plus loin une diète bonheur qui vous permettra de faire ce premier pas vers la pratique du bonheur. Car, les plus belles théories ne valent pas grand-chose si vous ne les vivez et n'en profitez pas pleinement.

Le bonheur: une habitude qui s'acquiert

Le bonheur est « un état d'esprit par lequel nous avons d'agréables pensées une bonne partie de notre temps » (Dr John A. Schindler).

Le bonheur est un bon médicament

Le bonheur émane de l'esprit mais est aussi ressenti par le corps. Nous pensons mieux, réussissons mieux, nous sentons mieux et sommes en meilleure santé lorsque nous sommes heureux.

Même nos sens et nos organes physiques fonctionnent mieux. Un psychologue russe, K. Kekcheyev, a fait certaines expériences sur des individus alors qu'ils entretenaient des pensées agréables ou broyaient du noir. Il découvrit que lorsqu'ils pensaient à des choses agréables ils pouvaient voir mieux, goûter, sentir et entendre mieux, et découvrir des différences plus subtiles au toucher.

Le Dr William Bates, pour sa part, a prouvé que la vision s'améliore immédiatement lorsqu'un individu a d'agréables pensées, ou regarde une scène plaisante, et Margaret Corbett soutient que la mémoire s'améliore grandement et que l'esprit est détendu lorsqu'une personne entretient d'agréables pensées.

A en croire la médecine psychosomatique, notre estomac, le foie, le cœur et tous nos organes internes fonctionnent beaucoup mieux lorsque nous sommes heureux.

Après avoir étudié la relation entre le bonheur et la criminalité, des psychologues de Harvard en sont arrivés à conclure à la véracité scientifique du vieux proverbe hollandais: « Les gens heureux ne sont jamais méchants. » Ils ont découvert que la majorité des criminels proviennent de foyers malheureux et ont une histoire de relations humaines pitoyables.

Au dire du Dr Schindler, le malheur est l'unique cause des maladies psychosomatiques et le bonheur, son seul remède.

Une enquête a démontré que, en très grande majorité, les hommes d'affaires optimistes et heureux qui « regardaient le bon côté des choses » réussissaient beaucoup mieux que les pessimistes.

Il semble qu'en fait de conception populaire sur le bonheur on a, en quelque sorte, mis « la charrue avant les bœufs »: « Sois bon, disons-nous, et tu seras heureux. »

« Je serais, heureux, pensons-nous, si je pouvais avoir du succès et être en santé. » « Soyez bon et généreaux envers les autres et vous serez heureux. »

Il serait beaucoup plus réaliste de dire: « Sois heureux et tu deviendras bon, satisfait, en meilleure santé et plus charitable envers les autres. »

Erreur de conception au sujet du bonheur

Le bonheur n'est pas une chose gagnée ou méritée et il ne relève pas plus de la morale que la circulation du sang dans les veines. Les deux sont nécessaires pour être en santé et se sentir bien dans sa peau.

Le bonheur est simplement un état d'esprit par lequel nous nourrissons d'agréables pensées une bonne partie de notre temps.

« Le bonheur n'est pas la récompenses de la vertu, disait Spinoza, mais la vertu elle-même; nous ne sommes pas heureux parce que nous retenons nos convoitises; mais, au contraire, parce que nous sommes heureux, alors nous sommes capables de les restreindre. » (Spinoza, *Ethics*)

La poursuite du bonheur n'est pas égoïste

Plusieurs personnes pensent sincèrement que la recherche du bonheur est « égoïste ». Cela est complètement erroné. La « générosité » va de pair avec le bonheur, car non seulement le bonheur détourne la personne d'elle-même, de ses défauts ou de ses erreurs, de ses pensées tristes ou de sa vanité, mais il lui permet de s'exprimer avec plus de créativité, et de se ressourcer pour aider les autres.

Une personne heureuse crée du bonheur autour d'elle et dès lors, du simple fait de sa présence, devient très utile à son entourage. Cela vaut bien des services que d'aider les autres à être heureux.

Le bonheur n'est pas l'affaire du futur mais du présent

« Nous ne vivons jamais, mais espérons seulement vivre; et, regardant toujours plus loin pour être heureux, il est inévitable que nous ne le soyons jamais. » (Pascal)

La majorité des gens ne vivent pas, ne profitent pas du moment présent, mais existent en attendant quelque événement futur.

Ils seront heureux lorsqu'ils se marieront, auront un meilleur emploi, obtiendront tel diplôme, lorsque la maison sera payée, lorsque les enfants iront au collège ou qu'ils auront gagné telle bataille.

Immanquablement, ils sont déçus.

Le bonheur est une habitude mentale, qui, si elle n'est pas apprise et pratiquée dans le présent, n'est jamais expérimentée.

Le bonheur ne doit pas dépendre du simple fait de pouvoir résoudre tel ou tel problème externe. Lorsqu'un problème est résolu un autre apparaît et prend sa place. La vie n'est qu'une succession de problèmes.

Si vous désirez être le moindrement heureux, vous devez être heureux... simplement. Surtout pas heureux « parce que... »

Le bonheur est une habitude mentale qui se cultive et se développe

« Les gens sont heureux dans la mesure où ils se conditionnent à l'être. » (Abraham Lincoln)

« Le bonheur est purement intérieur, dit le psychologue M. Chappel, il ne provient pas des objets mais des idées, pensées et attitudes que nous pouvons développer et construire par nos propres activités, indépendamment de notre entourage. »

Personne n'est heureux à cent pour cent tout le temps. Mais nous pouvons être heureux et entretenir d'agréables pensées une grande partie de notre temps, compte tenu de la multitude de petits événements qui émaillent le quotidien et même de ceux qui nous rendent malheureux et maussades.

Dans une large mesure, face aux petits ennuis ou aux frustrations nous réagissons avec agressivité, insatisfaction, ressentiment et irritabilité, seulement par habitude. Nous nous sommes appliqués à réagir de cette manière et en avons développé l'habitude.

Plusieurs de nos mauvaises réactions proviennent du fait que nous interprétons les événements comme une attaque contre notre estime personnelle. Un conducteur klaxonne sans nécessité; quelqu'un nous interrompt et ne prête pas attention à nos paroles; quelqu'un n'agit pas envers nous comme nous nous y attendons.

Même les événements hors de notre volonté peuvent être interprétés comme affronts à notre estime personnelle: manquer l'autobus, la pluie qui tombe alors que je devais aller jouer au golf, la circulation qui devient plus dense justement au moment où je vais prendre l'avion.

Nous réagissons avec colère, ressentiment, apitoiement, en d'autres mots, nous nous rendons nous-mêmes malheureux en réagissant de la sorte.

Ne laissez pas les événements vous manipuler

Avez-vous déjà remarqué, lors de l'enregistrement d'une émission de télévision, le maître de cérémonie « manipuler » l'assistance? Il dit à la foule quand applaudir, rire ou réagir. Ces gens agissent comme des moutons, comme des esclaves à qui l'on dit quand et comment poser tel geste.

C'est un peu la même chose pour nous. Nous laissons les événements et les gens nous bousculer, nous dire comment réagir et comment nous sentir. Nous agissons comme des esclaves; nous obéissons promptement à tout événement qui nous dit: Soit fâché, soit inquiet, maintenant, c'est le temps d'être malheureux.

En prenant l'habitude du bonheur, vous deviendrez un maître au lieu d'être un esclave. L'habitude du bonheur vous rendra capable de vous libérer de la domination des conditions extérieures.

Face aux événements, si graves soient-ils, et même face à l'entourage le plus hostile, vous pouvez faire en sorte d'être plus heureux en ne vous apitoyant pas sur votre malchance.

Ce ne sont pas tant les événements qui dérangent les hommes que l'opinion qu'ils en ont. Interprétez les événements en votre faveur même si, à première vue, cela vous semble difficile, et tout ira mieux.

Il y a deux côtés à la médaille. L'un vous dit: Fâche-toi, rebelle-toi, n'accepte pas la situation même si tu la sais irréversible. L'autre vous invite à rester calme et serein: Essaie de tirer le meilleur parti des événements, arrange-toi pour être gagnant envers et contre tous.

D'ailleurs, qui, avec le recul, n'a pas justement constaté que tel événement qui l'avait bouleversé, rendu malheureux et parfois même malade, s'est révélé en fin de compte la meilleure chose qui puisse lui arriver et sans laquelle il ne serait pas ce qu'il est devenu.

Vous voyez, on finit immanquablement par tourner la médaille du bon côté. Alors pourquoi ne pas le faire dès le moment présent? Cela vous évitera un tas d'inquiétude et de stress inutiles et vous orientera plus rapidement vers ces perspectives avantageuses que votre état d'esprit négatif vous empêche de voir.

Je me souviens de dizaines et de dizaines d'événements que « mon opinion » m'avait fait entrevoir comme des calamités. Aujourd'hui je me rends compte que ces événements, loin d'être des catastrophes, l'eussent réellement été s'ils n'étaient pas survenus.

Pensez à la rupture avec une personne que l'on croit aimer. Malgré les pleurs, la souffrance, le désespoir du moment, ne se retrouve-t-on pas, quelques années plus tard, remerciant le ciel à deux genoux d'avoir permis cette séparation.

Il en est souvent de même vis-à-vis d'un accident entraînant une incapacité partielle ou totale, temporaire ou permanente. Que de victimes réalisent après coup les « heureuses » répercussions de cet accident sans lequel elles n'auraient pas la satisfaction d'être ce qu'elles sont aujourd'hui: c'est à partir de ce moment que leur vie a pris un sens réel profond et qu'elles sont devenues « vivantes ».

Et pensons à ces multiples problèmes qui nous obligent à exploiter à fond notre potentiel intellectuel et physique si nous voulons atteindre notre idéal!

Une fois libéré de cet esclavage, ne laissez plus les événements et les gens vous bousculer à leur guise. Efforcez-vous plutôt de voir et d'entendre tout ce qu'il y a de bon autour de vous, et d'en profiter.

Dernièrement, j'ai presque raté un beau coucher de soleil parce que, quelques minutes avant de quitter le bureau, j'avais reçu une lettre dont le contenu m'avait déçue. Mais je me ressaisis très vite et laissai libre cours à ma bonne humeur devant ce spectacle grandiose et gratuit qui s'offrait à mes yeux.

Ne pouvant profiter actuellement de la présence de mon ami, pour des raisons hors de ma volonté, je me refuse à regretter son absence dans la tristesse. J'en profite pour organiser ma vie de façon très active, m'occupant à toutes sortes de choses intéressantes que je n'aurais, du moins en partie, peut-être pas la chance de réaliser compte tenu de certaines autres obligations.

On peut toujours tirer avantage des événements pour son profit personnel lorsqu'un acquiert l'habitude du bonheur.

Diète bonheur de sept jours

A perdre: anxiété — tristesse — fatigue — surmenage
              — agressivité négative — peurs — doutes.

Menu: Une diète d'une semaine.

Recette: Un message à lire chaque jour, pendant sept
              jours, et un exercice pratique quotidien.

Résultat: esprit dégagé
              corps détendu
              âme en paix
              silhouette harmonieuse
                        équilibrée
                        épanouie
                        accueillante
              santé mentale et physique excellente

Votre régime alimentaire fait partie intégrante de votre vie. Vous y accordez suffisamment d'importance, mais vous n'entreprenez pas de régime à longueur d'année.

Cependant, il arrive que votre système soit intoxiqué et ait besoin d'une bonne diète pour se remettre en forme et se libérer des « scories » qui risquent d'enrayer tous les mécanismes. Plusieurs le font une ou deux fois par année.

La diète bonheur que je vous propose vous demandera quotidiennement, pendant une semaine, un peu plus de temps que vos fiches-messages. Comme je vous l'ai déjà expliqué, il n'est pas nécessaire de lire de longs textes ou de faire d'interminables méditations pour programmer le subconscient.

Cependant, il n'est pas mauvais, de temps à autre, de prendre un temps d'arrêt, de faire une halte pour permettre à notre esprit d'approfondir et de saisir le sens profond de la vie.

Toute personne, un jour ou l'autre, malgré ses biens matériels, sa condition sociale, ses réussites intellectuelles essaie d'approfondir sa connaissance.

Cette diète bonheur n'est certes pas une étude philosophique poussée ni un cours scientifique, mais elle vous aidera à faire cette halte et à vous rappeler ou à vous enseigner certaines connaissances auxquelles le rythme de la vie moderne ne vous permet pas de songer très souvent et qui restent fondamentales si vous voulez goûter le bonheur et la paix de l'esprit.

Je vous souhaite, après cette semaine de réflexion, de ressentir l'impression d'avoir fait un pas en avant.

1re journée:
Le bonheur est à la portée de tous

Le bonheur existe. Il est dans l'amour, la santé, la paix, le confort matériel, les arts, la nature et encore à des milliers d'endroits. La preuve? Regardez autour de vous: combien de fois n'avez-vous pas envié quelqu'un pour « son bonheur »? S'il n'existait pas, vous ne seriez pas toujours à sa recherche.

Le problème n'est pas de savoir si le bonheur existe, mais de savoir comment l'obtenir?

Il suffit pourtant d'apprendre les lois du bonheur. Le bonheur est une force comme le sont l'électricité, la pesanteur, le son, etc., et toute force est dirigée par des lois.

Cela vous paraît évident quand on parle de l'électricité ou de tout autre phénomène physique, parce que des mathématiciens et des savants ont prouvé ce phénomène par des réalisations comme la lumière, la radio, la télévision... etc. Ils respectent les lois des vibrations et obtiennent des résultats extraordinaires. Et chaque personne, sans même s'en rendre compte, respecte les lois en utilisant chaque jour les résultats obtenus par les scientifiques. Si les lois n'étaient pas respectées, les résultats seraient nuls.

Le même principe s'applique à cette force qu'est le bonheur. Mais heureusement vous n'avez pas besoin de savants pour en comprendre et en utiliser les lois. La preuve: quels que soient son âge, sa condition sociale, le pays qu'il habite, un individu peut trouver le bonheur.

D'ailleurs, enfant vous avez appliqué ces lois, et c'est en vieillissant que vous les avez oubliées. Et depuis, chaque jour, sans vous en rendre compte, vous posez un geste contraire aux lois.

Arrêtons-nous, par exemple, à la première loi:

LA PENSÉE CRÉE — LA PAROLE CRÉE

Vous ne passez pas une journée sans transgresser cette loi.

La pensée et la parole (le son) sont à la base de toute la puissance des vibrations. Sans pensée et sans parole, toutes les forces de la nature seraient demeurées à l'état sauvage et n'auraient jamais donné naissance aux réalisations modernes que nous connaissons.

Pour jouir du bonheur, soit vous réaliser comme individu, vous devez d'abord vous servir de ces forces de base sans lesquelles on ne peut rien faire. La loi est très simple: on utilise les forces en fonction du résultat désiré. Si l'on utilise des fils électriques de la bonne façon, on peut obtenir de la lumière; par contre, un mauvais usage peut causer un incendie.

Il faut donc penser, parler et agir « bonheur » pour obtenir « bonheur ».

Si vous mettez les forces de la pensée et la parole au service des idées noires, le résultat sera noir. Mais si vous pensez joie, amour, santé, abondance, paix et que vous programmez comme tel vous dégagerez et attirerez des vibrations bienfaisantes qui seront à la base de votre programme-bonheur.

Et aussi vrai que vous obtenez la lumière en pressant le commutateur, donc en respectant les lois de l'énergie, vous vous rendrez compte du résultat immédat en appliquant et faisant intégrer à votre subconscient cette première loi.

Exercice pratique: remarquez combien de fois dans la journée vous agissez contre la loi; relevez chaque pensée et chaque parole contraires à ce que vous désirez et demandez à votre subconscient de vous obtenir.

Exemples: « Je n'ai pas de chance », « personne ne m'aime », « quand on naît pour un petit pain » ... etc.

Vous serez surpris du nombre de fois que vous utilisez les forces de façon à empêcher ou du moins à retarder la réalisation de vos espoirs.

2e journée:
Votre cerveau est comparable à un poste émetteur

Cela peut a priori vous paraître bizarre, mais on peut comparer le cerveau à un poste émetteur. Mais ce « poste émetteur », humain est mille fois plus sensible et plus puissant qu'un objet matériel. De toute façon, n'est-ce pas le cerveau qui est à l'origine de toutes les inventions matérielles?

Regardons un appareil radio. C'est un poste-émetteur véhiculant des ondes à travers l'espace. Et selon le poste que vous écoutez, vous pouvez entendre de la musique gaie ou de la musique triste, des messages heureux ou malheureux. Ainsi, vous pouvez brancher votre radio sur tel ou tel poste selon l'émission désirée.

De la même façon vous devez brancher votre cerveau sur les ondes que vous désirez obtenir. La plupart des gens branchent leur pensée sur des ondes négatives (idées de maladie, de malheur, de soupçon) et sont surpris de ne pas capter une émission positive et joyeuse.

Bien sûr, vous avez des problèmes. Mais vous avez en mains d'excellents outils pour améliorer votre situation. Il faut prendre la résolution de suivre votre diète bonheur sans tricher et permettre ainsi à votre subconscient de fonctionner à sa pleine capacité.

Vous avez déjà essayé la première recette et vous vous êtes aperçu après examen du grand nombre de fois où les forces sont mal utilisées.

Voici la deuxième recette: il faut modifier vos mauvaises habitudes de pensée et de parole. Les pensées et les paroles négatives doivent devenir positives, les pensées et les paroles qui pourraient détruire doivent maintenant construire.

C'EST UN DE VOS MEILLEURS ATOUTS POUR CAPTER LES ONDES DU BONHEUR ET AMÉLIORER RAPIDEMENT VOTRE IMAGE DE VOUS-MÊME.

Mais vous savez que tout appareil de haute précision a besoin d'un ajustement parfait si l'on veut en obtenir la meilleure qualité. Une chaîne stéréo doit être bien installée et bien balancée pour offrir le meilleur son. Il en est de même pour vous. Vous possédez un mécanisme dont la précision dépasse de très loin les meilleures chaînes stéréo du monde. Par conséquent il ne faut pas être surpris de la nécessité d'un bon ajustement si l'on souhaite en retirer le maximum (conscient et subconscient).

Tout comme les premiers sons perçus d'un appareil qui n'est pas encore tout à fait ajusté vous procurent de la joie en même temps que le désir d'obtenir mieux en travaillant à son installation, ainsi vous éprouverez très rapidement de grandes joies en adoptant les recettes de bonheur et obtiendrez vos programmations plus rapidement.

Vous n'obtiendrez pas la perfection du premier coup, mais jour après jour; si vous persévérez, je vous garantis une paix grandissante et vous capterez des ondes merveilleuses, jamais imaginées peut-être depuis que vous êtes adulte. L'enfant que vous étiez comprenait d'instinct ces lois; maintenant, ainsi que vous avez besoin d'un spécialiste pour vous aider à installer un appreil électrique, il est nécessaire qu'on fasse revivre en vous cette pratique du bonheur.

Mais puisque vous l'avez déjà eue, ce sera beaucoup plus facile que vous ne le pensez. Ayez confiance, vous possédez un appareil de la meilleure qualité, tous les outils pour le faire fonctionner et une aide extérieure pour l'installation de base (n'oubliez pas vos fiches-messages). Dans ces conditions, le succès est assuré.

Exercice pratique: Passez à l'action. Tout comme lors de la première journée, vous remarquerez chaque fois où vous transgressez la première loi.

Mais cette fois vous devez ajouter un nouvel ingrédient en changeant de poste, mentalement, votre cerveau-radio afin de commencer à capter des ondes et des vibrations heureuses.

Après avoir changé le poste, vous penserez: « Mon esprit capte les ondes du bonheur. »

De plus lisez, et même apprenez par cœur, ce message; il s'en dégage une « force »:

« Chaque partie de mes membres fonctionne bien en ce moment. Tout mon corps reflète la santé et l'harmonie. Je m'enrichis de jour en jour, matériellement et psychologiquement. Je suis une personne dégagée, et tout être visible et invisible sera pour moi l'expression vivante de paix et d'harmonie. »

3ᵉ journée:
Chaque pensée fleurit

Une pensée est comme une graine que l'on met en terre et qui, après avoir germé, va produire quelque chose. Si le cultivateur sème de la mauvaise graine, il ne récoltera que de la mauvaise herbe. Par contre, en semant de la bonne graine, il obtiendra les meilleurs fruits.

N'avez-vous jamais remarqué que tout ce qui existe est le résultat d'une pensée? Oeuvres d'art, inventions scientifiques, relations humaines, tout commence par une pensée. S'il n'y avait pas eu cette première pensée il n'y aurait jamais eu de résultat tangible. Alors pourquoi ne pas exploiter cette constatation pour l'appliquer en sens inverse. Vous désirez tel bien, il faut donc semer la première pensée qui sera à l'origine du résultat voulu. C'est tout à fait logique, et ne soyez pas surpris de récolter des fruits négatifs si vous semez des idées négatives. Offrez à votre subconscient des programmations positives et il vous le remettra au centuple.

Vous désirez l'amour, semez l'amour. Vous désirez l'argent, n'ayez pas peur de donner. Vous désirez le succès, n'hésitez pas à aider les autres à réussir. En semant autour de vous des ondes positives, vous récolterez des ondes positives.

Le corps humain nous fournit le meilleur exemple de cette dernière affirmation. Entretenez des pensées d'anxiété et vous digérerez mal; sous l'effet de la peur, votre respiration sera modifiée. Chaque pensée produit une réaction positive ou négative sur votre corps, et chaque pensée produit ainsi un effet sur les événements de la vie et sur les gens qui vous entourent.

Si vous avez un invité et que vous ne lui faites écouter que des chansons mélancoliques, vous n'avez que très peu de chance de le voir rire aux éclats. De la même façon, si vous ruminez des pensées négatives, n'espérez pas en obtenir un résultat positif.

LE POSITIF ATTIRE LE POSITIF ET LE NÉGATIF ATTIRE LE NÉGATIF

On forge sa destinée en semant les pensées qui correspondent à l'avenir désiré. N'oubliez pas, sans pensée, aucun résultat! Il faut donc rechercher le côté positif, toujours et en tout. Chaque événement ressemble à une batterie d'automobile. D'un côté il y a le signe « plus » qui veut dire positif, et de l'autre il y a le signe « moins » qui veut dire négatif... et chaque matin, rechargez votre batterie.

N'oubliez pas, une défaite occasionnelle est souvent à la base d'une plus grande réussite. Mille exemples illustrent cette affirmation: tel étudiant subit un échec à un examen, il se met au travail et réussit l'examen suivant beaucoup plus fort que la moyenne; telle personne se trouve trop grasse, elle décide de suivre un régime approprié et obtient une silhouette plus svelte que celle de la plupart de ses amies; tel jeune homme n'a pas de succès auprès d'une jeune fille qui lui plaît et il met tant de soin à développer charme et gentillesse que toutes les femmes réclament sa présence. Ces trois individus ont obtenu davantage après avoir réagi devant un échec, mais ils ont réagi en semant une idée positive, ne perdant pas de vue le but à atteindre.

Exercice pratique: Imaginez votre subconscient comme un champ dans lequel chacune de vos pensées va germer. Contrôlez chacune de ces pensées afin d'éviter le plus possible les conflits d'idées avec vos programmations. Demandez-vous: « Quels fruits cette pensée va-t-elle donner? » Et si vous réalisez que telle pensée va produire un fruit que vous ne désirez pas, remplacez-la tout de suite par une autre.

En agissant ainsi vous apporterez à votre subconscient une précieuse collaboration.

4e journée:
La loi de l'attraction

Vous avez compris et expérimenté que la pensée « crée ». Vous allez maintenant réaliser que la pensée « attire ». Elle a, en effet, un réel pouvoir d'attraction comme l'aimant attire le métal.

Et cette loi quelle est-elle? C'est la loi de l'amour. D'ailleurs, vous allez vous souvenir très facilement de cette loi en pensant aux deux mots « aimant » et « aimer » qui se ressemblent tellement. Mais attention, il ne faut pas confondre amour et attrait physique ou encore tel sentiment précis à l'égard d'une personne qui ne sont que deux manifestations partielles de cet « amour global » dont nous parlons.

LES VIBRATIONS IDENTIQUES S'ATTIRENT, S'UNISSENT ET SE RENFORCENT MUTUELLEMENT.

161

Tout dans l'univers est vibration, et si l'on veut obtenir telle ou telle chose il faut maintenir sa pensée à un degré de vibration égal à ce qui fait l'objet de son désir.

L'expérience et l'observation ont démontré que les pensées positives (idéal — espoir — amour — admiration — générosité) créent en nous des vibrations très hautes et très rapides qui rejoignent d'autres vibrations semblables pour former une force toujours grandissante. Par contre, les pensées négatives (égoïsme — dépression — envie — haine — paresse) font baisser et ralentir les vibrations qui ne rencontrent que dépression et pusillanimité.

« Qui se ressemblent, se rassemblent », dit un vieil adage. Eh bien, dégagez tout de suite les mêmes vibrations que ceux à qui vous voulez ressembler (tout en restant vous-même) et bientôt, très bientôt, vous serez à leur image.

Vous pensez que telle personne est heureuse parce qu'elle jouit d'une très bonne santé. Mais n'avez-vous jamais pensé que sa santé est justement le résultat de son état d'esprit? Regardez comme il arrive souvent à une personne d'avoir un mal physique (très réel) à cause de son état dépressif. Par contre, si la personne reçoit une bonne nouvelle, en l'espace de quelques minutes le mal disparaît comme par enchantement.

Vous m'objecterez les maladies chroniques ou incurables. Sachez que les personnes qui en sont atteintes réussissent grâce à leur optimisme à réduire de beaucoup leur épreuve. Il y a même un très grand malade qui a découvert récemment le traitement qu'il lui fallait, et ce, à la grande satisfaction de ses médecins qui ne trouvaient plus de solution applicable dans son cas: « Une cure de rire » (réf. *Sélection du Reader's Digest*, déc. 1977).

Exercice pratique: Remarquez que presque chaque fois que vous vous sentez las, il y a aussi une contrariété au niveau de la pensée. Par ailleurs, lorsque votre pensée rayonne l'espoir vos forces semblent se doubler, se tripler. Il s'agit donc d'inscrire le mot ESPOIR au début de chaque programme et vous attirerez le bonheur comme l'aimant attire le métal.

5e journée:
Il faut savoir qui on est pour atteindre l'équilibre

Si l'on vous demande qui vous êtes, quelle sera votre réponse? Evidemment vous pouvez fournir une description de votre apparence extérieure, le corps étant le premier élément qui permet d'entrer en contact avec vous. C'est votre *vie physique.*

Mais personne ne désire ou n'accepte d'être perçu comme un simple corps dépourvu d'intelligence. A cette description physique vous ajoutez donc des détails concernant votre caractère, votre tempérament, vos talents, votre sensibilité, vos intérêts intellectuels. C'est votre *vie cérébrale ou mentale.*

Cette deuxième vie que vous possédez est, de toute évidence, plus importante que la première car elle lui est supérieure. Une personne possédant un physique remarquable, mais qui serait dépourvue d'intelligence ou qui aurait un caractère insupportable aura rarement des amis véritables et ne sera pas heureuse. Par contre, celle dont le physique est très ordinaire ou même handicapé, mais dont l'esprit est ouvert et qui possède de grandes qualités de cœur avancera très sûrement dans la vie et sera toujours débordante d'activités de toutes sortes.

C'est pourquoi il faut tendre à développer au maximum son intelligence et toutes ses facultés et essayer d'acquérir toutes les connaissances qui se présentent sur sa route.

Bien des gens essaient d'atteindre l'équilibre en développant de façon harmonieuse leur vie physique et leur vie cérébrale. Et pourtant, la plupart n'y parviennent pas car ils oublient leur troisième vie: la *vie spirituelle*, laquelle est supérieure aux deux autres.

Voici un exemple qui vous aidera à comprendre comment nous avons besoin des trois vies pour parvenir à l'équilibre souhaité: imaginez-vous que chaque vie est une roue qui vous aide à avancer.

Si vous n'utilisez qu'une roue, vous devez être équilibriste et pédaler très vite pour ne pas tomber (ex: acrobate sur un unicycle). C'est le cas de ceux qui ne vivent que pour les plaisirs physiques ou pour leur ambition au travail. Ces gens ne peuvent jamais arrêter de bouger, sinon c'est la dépression nerveuse. Ils mettent tous leurs œufs dans le même panier et oublient de vivre. Ils existent seulement.

Si vous utilisez deux roues, vous pouvez garder l'équilibre plus facilement, comme à bicyclette, mais vous ne devez jamais arrêter de pédaler, sinon c'est la chute. Or l'homme a besoin de temps de repos, et quand ce temps s'impose vous risquez de perdre l'équilibre. C'est le cas de ces gens qui semblent avoir une vie « remplie » parce qu'ils sont toujours actifs mais trop souvent, à travers cette activité, il y a peu de place pour l'essentiel. Tout ce mouvement devient de l'activisme, on veut simplement éviter de se retrouver face à soi-même.

Enfin, si vous décidez de vivre pleinement vos trois vies (physique, cérébrale et spirituelle) vous avancerez alors sur trois roues comme sur un tricycle. Rien de plus facile, et l'équilibre s'établira tout naturellement par temps d'arrêt.

En réalité, c'est dans cette vie spirituelle que nous pouvons découvrir qui nous sommes réellement; c'est là que vit notre esprit, notre moi réel et invisible aux yeux du corps.

Comme le corps est le reflet de l'intelligence, corps et intelligence sont le double reflet de l'esprit.

De par leur nature, corps et intelligence sont limités par plusieurs facteurs. L'esprit, lui, est illimité et représente la force créatrice de toute pensée et de toute action.

Exercice pratique: prenez conscience de votre moi réel et décidez dès aujourd'hui d'accorder autant d'importance à votre vie spirituelle qu'aux deux autres vies afin de vous maintenir en parfait équilibre. La façon d'alimenter sa vie spirituelle est très personnelle: prières, lectures, réflexions, échanges, ...etc. L'essentiel est de ne pas la négliger au profit des deux autres et de ne pas tomber dans la facilité d'une paresse spirituelle.

6e journée:
Chassez la peur de vos pensées

Vous le savez maintenant, la pensée crée. Nous attirons l'objet de nos pensées: le positif attire le positif, le négatif attire le négatif.

Malheureusement, le négatif semble attirer plus souvent que le positif. Pourquoi? Non pas qu'il soit plus fort, mais tout simplement parce que, chez la plupart, les idées positives sont parsemées de doutes alors que, rarement, les idées négatives s'accompagnent d'une lueur d'espoir.

Arrêtons-nous un instant devant cette réalité: regardez, dans votre vie quotidienne, chaque pensée positive ou désir d'obtenir telle ou telle chose: vous y croyez, mais votre foi n'est-elle pas assombrie par des doutes et des peut-être? Et que de craintes devant certaines situations! Vous vous dites: « Ça ne marche pas » ou « j'ai bien peur de rater » ou « la chance n'a jamais été de mon côté » et vous ajoutez rarement une lueur d'espoir pour vous débarrasser de cette peur.

Ne vous en faites pas, la majorité des gens réagit ainsi, et fort heureusement votre subconscient continue quand même son travail, que vous l'aidiez ou que vous lui nuisiez par vos pensées. Mais en rayant une fois pour toutes de votre pensée les peurs inutiles (car ce que l'on craint le plus n'arrive presque jamais comme tel), vous accélérez vos programmations.

Tout comme dans un régime amaigrissant vous devez vous abstenir de tel ou tel aliment et ne pas céder à la tentation d'y goûter, il faut classer les peurs comme aliments interdits dans votre régime-bonheur.

Vos échecs, vos ennuis, la plupart de vos maladies proviennent de la peur et du stress.

Le jaloux a peur de perdre l'être aimé. L'agressif craint d'être attaqué. L'avare redoute de manquer d'argent. L'orgueilleux appréhende d'être ridiculisé. L'égoïste ne veut pas donner plus qu'il ne reçoit. Et ainsi de suite.

Analysez chacun de vos problèmes et vous y trouverez une peur quelconque sous-jacente et ancrée au plus profond de votre subconscient. Consultez n'importe quel médecin et il vous dira qu'un bon nombre de ses patients souffrent de maux réels mais ayant comme origine un trouble psychosomatique, c'est-à-dire que le patient alimente depuis un certain temps son esprit de « bibites » nées de la peur. Maladie du cœur, ulcère d'estomac, obésité, constipation, migraine...etc. ont très souvent comme origine les peurs entretenues depuis longtemps.

Imaginez un monde sans peur, et vous verrez disparaître comme par enchantement les pires calamités. Chassez la peur, remplacez-la par une foi tenace en la puissance de l'esprit créateur de tout bien et laissez-le agir. Vos inquiétudes lui font obstacle.

Exercice pratique: Chaque fois que vous vous surprendrez à penser ou à dire: « J'ai peur de ceci...j'ai peur de cela », hâtez-vous de remplacer cette pensée par: « Je n'ai rien à craindre, mon subconscient travaille pour moi en ce moment afin de me procurer tout ce dont j'ai besoin, j'ai tout à espérer. »

Si vous suivez un régime alimentaire, dites-vous que la peur contient beaucoup de calories et d'hydrates de carbone qui engraisseront vos problèmes aussi rapidement qu'un gros gâteau fera monter l'aiguille de la balance.

7e journée:
Savoir se fixer des buts

Je veux que cette journée soit un peu spéciale. Pour terminer votre diète en beauté, et en même temps pour vous permettre de la poursuivre pendant toute votre vie, je vous invite à vous arrêter et à prendre le temps de vous fixer des buts.

Je vous en ai déjà souligné l'importance mais sans vous fournir d'exemples concrets.

Quand je parle de buts, il ne s'agit pas nécessairement de programmations mais de choses très concrètes que vous décidez consciemment de réaliser en y mettant l'effort et le temps nécessaires, avec ou sans l'aide de votre subconscient.

Cela ne vient absolument pas contredire la programmation et vous en tirerez tout autant de joie et de satisfaction car cela fait partie de la psychologie humaine que de vouloir lutter pour arriver à ses fins.

Tout est question de dosage et d'équilibre. C'est un peu comme l'exercice physique. Juste assez vous maintient en excellente forme, trop peut vous causer plus de tort que de bien. Il en va de même pour la nourriture: un bon gueuleton est parfois nécessaire mais il faut savoir laisser reposer son estomac au bon moment. Intellectuellement, c'est la même chose; lorsque l'esprit devient saturé par une activité mentale, il n'est plus en mesure d'en apprécier les avantages et de fournir un bon rendement.

L'homme a donc besoin, pour se sentir heureux, de se fixer des buts et, bien sûr, de les atteindre. Malheureusement, nombre de gens orientent très mal ce besoin et ne réussissent pas, du moins de façon systématique, à se fixer des buts et à organiser leur vie d'une manière efficace.

Il n'existe pas de règles précises concernant les buts à se fixer ni sur leur objet. Tout cela varie avec chaque individu.

Cependant, je voudrais mettre en évidence certains dénominateurs communs susceptibles de vous aider dans ce domaine.

1. Il faut se fixer des buts à court, à moyen et à long terme.

2. On doit savoir comment on s'y prendra pour les atteindre (c'est différent de la programmation où l'on attend les directives du subconscient).

3. On doit développer une autodiscipline et ne pas renoncer, pour quelque raison que ce soit (à moins d'une impossibilité réelle et hors de son contrôle), aux buts que l'on s'est fixés.

4. On doit réaliser, lorsque le but est atteint, qu'on a bien agi et s'octroyer une récompense matérielle ou psychologique, selon son choix personnel.

Si toutes ces notions vous sont très familières, continuez, vous êtes sur la bonne voie. Si, par contre, ça reste encore un peu nébuleux, poursuivez votre lecture. N'abandonnez pas, vous vous refuseriez des joies certaines.

1. Il faut se fixer des buts à court, à moyen et à long terme

Certaines personnes vivent au jour le jour sans jamais se soucier du lendemain. D'autres mettent tellement toutes leurs énergies à la réalisation d'un projet unique à longue échéance qu'elles en oublient même de profiter du moment présent et de jouir de la vie. On dirait qu'elles retiennent leur souffle en se promettant une bonne bouffée d'oxygène au moment où elles auront enfin la tête hors de l'eau. Elles oublient qu'entre-temps elles risquent de s'asphyxier.

Les premières nous font un peu penser à la cigale de La Fontaine et se retrouvent parfois très embarrassées quand se présente un imprévu. De plus, allant d'une activité à l'autre, elles ont parfois beaucoup de difficulté à trouver la route qui les conduirait vers leur idéal. D'ailleurs, ont-elles jamais eu un idéal précis?

Quant aux autres, confinées à l'intérieur d'un petit monde fermé et uniquement centré sur leur objectif, si lointain soit-il, elles se privent d'une foule de joies quotidiennes nécessaires à l'entretien de l'enthousiasme et stimulantes pour la créativité.

C'est une autre caractéristique de la psychologie humaine que d'avoir besoin d'un idéal, d'un but plus noble et plus important que toutes les activités quotidiennes secondaires et qui, en fin de compte, donne un sens à la vie. C'est en quelque sorte le moteur principal de votre vie. Une fois cet idéal fixé, vous serez prêt à prendre les moyens et à faire tous les sacrifices pour le réaliser.

La réussite, nous le savons, est un puissant stimulant pour chaque être humain, quelle que soit sa sphère d'activité, et exige souvent de longues années de labeur et d'efforts. D'où la nécessité d'avoir des buts à court et à moyen terme qui combleront, au fil des semaines et des mois, notre désir de réussite en nous prouvant que nous sommes capables de réalisations.

C'est à vous et à vous seul de fixer les buts à atteindre, compte tenu de l'image que vous avez de vous-même et compte tenu des ressources dont vous disposez. Ils doivent cependant être réalistes et réalisables sinon vous perdez votre temps et votre énergie.

Les buts à *long terme* sont probablement ceux pour lesquels je peux difficilement vous suggérer des exemples. Puisqu'il s'agit, en somme, de l'orientation de votre vie, aucun exemple, si convaincant soit-il, ne peut se substituer à vous et vous donner « la dynamique » nécessaire pour intégrer ce même idéal à votre vie personnelle.

Certains se vouent à une cause politique ou sociale, d'autres convoitent un petit empire financier, quelques-uns ne vivent que pour la réussite de leur famille; il en est d'autres pour qui les succès académiques priment tout et ils travaillent toute leur vie à acquérir de nouveaux diplômes, etc. Mais quelle que soit leur ambition, toutes ces personnes ont quelque chose en commun: elles ont un idéal, un but vers lequel elles font un pas de plus chaque jour et qui donne un sens tout à fait unique à leur vie.

Sans cet idéal, l'homme ressemble à un bateau sans gouvernail. Il va au gré des vagues se demandant où demain va le conduire et il aboutit la plupart du temps sur une île d'insatisfaction et de solitude. Et lorsqu'il décide de repartir et de se diriger vers un port plus accueillant, le pauvre bateau délabré doit affronter avec beaucoup plus de difficulté tempêtes et caprices de la nature. Mais il n'est jamais trop tard, et il vaut mieux monter à bord d'un bateau usé mais bien dirigé que dans un autre, flambant neuf, qui s'en va à la dérive.

Les buts à *court et moyen terme* se ressemblent davantage d'un individu à un autre.

Les tâches quotidiennes sont excellentes pour des buts à court terme. Par exemple: « Aujourd'hui, je décide de faire tout mon ménage. » Ou encore: « Aujourd'hui, je vais au garage pour une mise au point de ma voiture. » Certaines personnes s'en tiennent ainsi à des choses presque obligatoires. Ce n'est pas mauvais, mais je préfère ajouter à ces tâches routinières un but spécial, nouveau, différent et plus intéressant.

Par exemple: Aujourd'hui, je vais adresser une bonne parole ou un simple sourire à une personne que je ne connais pas, dans l'autobus, au travail, au restaurant ou n'importe où. Quelqu'un attend votre chaleur humaine, ne soyez pas avare de vos sourires, il en coûte si peu, et ça rapporte tellement. Un sourire c'est un peu comme du parfum, on ne peut en asperger quelqu'un sans en profiter soi-même.

Autres exemples: Aujourd'hui, j'irai voir ou je téléphonerai à une personne que je sais isolée et à qui quelques minutes de conversation feraient tant plaisir...

Aujourd'hui, j'irai à la librairie ou à la bibliothèque me chercher ce livre qui aidera à mon évolution, livre dont je sais l'importance mais que j'ai toujours négligé de me procurer...

Aujourd'hui, au lieu d'acheter un paquet de cigarettes ou une friandise, j'achèterai une fleur et l'offrirai à une personne qui m'est chère...

Laissez libre cours à votre imagination et vous trouverez des milliers de buts à court terme. Chaque nouvelle journée deviendra plus ensoleillée et plus enrichissante.

Les gens qui ont une vie remplie d'imprévus et de surprises ne sont pas plus chanceux que les autres; ils organisent leur vie en conséquence et provoquent eux-mêmes les circonstances favorables au mouvement, à la vie et à la communication. Rien de plus déprimant que la routine et l'inertie. Fixez-vous des buts à court terme que vous inventerez au fur et à mesure, et votre quotidien, de terne qu'il était, se métamorphosera parce que enjolivé de multiples petits bonheurs.

Les buts à moyen terme, disons échelonnés sur

quelques semaines ou quelques mois, sont aussi source de motivation et d'énergie.

Par exemple: Ces deux prochaines semaines, je décide de suivre tel régime alimentaire qu'on dit excellent pour le teint.

D'ici une semaine, j'aurai complété un travail précis: soit un travail manuel ou artisanal, ou encore j'aurai rédigé un texte sur un thème que je choisis.

D'ici une semaine, j'aurai mémorisé tel texte.

D'ici un mois, j'aurai mis de côté tel montant d'argent pour me procurer telle chose.

D'ici trois mois, j'aurai économisé suffisamment pour me permettre un petit voyage, ne serait-ce qu'une fin de semaine, à l'extérieur.

Je m'inscris à tel cours pour une période de trois mois et je me promets de ne pas manquer une seule fois, sauf force majeure.

Ici encore les sujets peuvent varier et se multiplier indéfiniment et quel que soit le but fixé, l'espoir de la réussite donne la ténacité et le courage nécessaires. Une fois développés, cette ténacité et ce courage serviront à la réalisation de plus grands projets et conduiront avec assurance vers l'idéal que chacun poursuit.

2. On doit savoir comment on s'y prendra

Contrairement à la programmation où on ne doit envisager que le résultat à atteindre, ici il faut établir un plan d'action précis. Ça n'exclut pas, bien sûr, la possibilité de quelque ajustement en cours de route, mais il faut savoir comment procéder sinon on risque de tout laisser tomber au premier obstacle.

Une personne, par exemple, qui déciderait de devenir médecin en ignorant tout des études à poursuivre ferait fausse route.

Une personne qui déciderait d'acheter d'ici deux mois un superbe chien danois et de l'élever elle-même, mais qui, par ailleurs, vivrait dans un trois-pièces en plein centre-ville où la garde d'un animal est interdite, verrait son rêve d'avoir un chien tourner en queue de poisson ou en chien de faïence.

En fait, cela rejoint ce que je disais précédemment: le but doit être réaliste et réalisable, compte tenu des circonstances.

3. On doit développer une autodiscipline.

C'est la chose la plus importante car à quoi servirait de se fixer des buts si on y renonçait avant de les avoir atteints?

L'autodiscipline n'est pas si difficile que certains peuvent le prétendre. C'est une question d'habitude et d'entraînement, qui rend l'existence plus facile. N'est-il pas plus aisé de suivre le plan d'une journée, d'une semaine, d'un mois ou d'une vie que de courir ici et là sans vraiment savoir ce que l'on fait?

Un plan n'est pas quelque chose d'austère et d'immuable auquel vous devez vous conformer à la lettre, mais tout simplement une base d'action que doit personnaliser chaque geste concret de votre vie. Mais attention, les changements apportés ne doivent pas vous détourner de votre but ni simplement être l'écho de votre paresse ou de votre peur. Soyez honnête et lucide avec vous-même et vous saurez, j'en suis certaine, reconnaître ce que vous devez ou ne devez pas faire.

4. On doit réaliser qu'on a bien agi et se récompenser

Eh bien, oui, nous avons besoin d'une certaine gratification et cela fait partie tout naturellement de la psychologie humaine.

Les buts fixés sont, par conséquent, en étroite relation avec nos valeurs, nos priorités et l'image que nous avons de nous-même. Il est évident que le but que nous désirons atteindre doit correspondre à ce que nous sommes et nous aider à parfaire notre évolution. C'est pourquoi il appartient à chacun, et à lui seul de déterminer les buts adéquats en ce qui le concerne. Rien ne sert de se fixer un but s'il ne veut rien dire de spécial pour soi. « Sentir que l'on a bien agi » est vraiment le meilleur critère pour savoir si tel but précis a sa raison d'être dans notre existence.

Quant à l'aspect récompense, il n'est pas à négliger. Tous cherchent le bonheur et cela est tout à fait normal. Nous sommes nos propres juges et devons connaître nos mérites et nos succès quand il y a lieu de le faire. C'est un tremplin vers d'autres réalisations.

Parfois le but atteint comporte en lui-même sa récompense. Par exemple, le fait de donner aux autres comprend déjà le plaisir que nous avons à donner. La personne qui s'astreint à un régime et le réussit a tout de suite sa récompense en voyant sa taille amincie. Mais parfois, il est nécessaire d'ajouter une récompense additionnelle selon ses besoins et en fonction des efforts fournis.

Un individu, par exemple, qui consacre plusieurs mois ou plusieurs années pour réussir un diplôme universitaire a, bien sûr, la satisfaction de posséder effectivement ce diplôme, mais peut avoir besoin d'y ajouter une autre récompense comme des vacances ou autre chose pour compenser tous les efforts souvent difficiles qu'il a fournis.

Ici encore, chacun y va selon sa propre nature mais doit absolument éviter d'accumuler des frustrations par manque de compensations ou de récompenses.

Exercice pratique: Commencez dès aujourd'hui à vous fixer au moins un but à court terme pour chaque nouvelle journée et un but à moyen terme à atteindre, dans un maximum de trois mois ou moins, si cela est possible en fonction de votre but.

Accordez-vous un temps de réflexion sur votre but à long terme. Avez-vous un idéal, un but précis qui donne un sens à votre vie? Si oui, est-ce que vous avez l'impression de faire tout ce qui est nécessaire pour vous rapprocher de cet idéal? Si non, hâtez-vous de combler cette lacune et mettez-vous immédiatement à la tâche pour faire l'inventaire de vos goûts et de vos ressources afin de vous donner au plus vite un bon gouvernail qui vous mènera à bon port.

QUATRIÈME
PARTIE

Programmation

Cette dernière partie réunit quelques exemples de programmations. Mis à part le décodage et les douze lois cosmiques, programmations que je considère essentielles pour chacun, vous trouverez certaines programmations susceptibles de vous inspirer dans la fabrication des vôtres.

Je dis de vous inspirer puisqu'il est très recommandé que chaque individu rédige lui-même ses propres programmations. Le conscient, ayant travaillé sur la question et ayant délibérément choisi les « données » à fournir au subconscient, sera en mesure de transmettre ces données, « assimilées et ressenties » de façon claire et précise, au subconscient. De plus, le conscient d'un individu qui travaille à l'identification de ces données développe une attitude mentale positive qui accélère le processus de la programmation.

Et vous seul êtes vraiment en mesure d'identifier vos buts et vos idéaux et la façon dont vous souhaitez orienter votre existence. C'est un domaine où personne ne peut se substituer à vous.

Comme vous serez en mesure de le constater, les programmations qui suivent sont parfois longues mais ce n'est pas essentiel à la réussite. J'ai délibérément inclus plusieurs éléments dans chacune d'entre elles pour vous permettre d'en saisir le sens. Mais une simple phrase peut suffire pour programmer votre subconscient.

Il s'agit de ne pas oublier que le subconscient prend un « maximum » de vingt et un jours à capter une donnée, ce qui signifie que vous devez, à moins d'avoir obtenu le résultat désiré avant ces vingt et un jours, relire ou penser mentalement à transmettre cette « commande spécifique » à votre subconscient pendant ces vingt et un jours.

Ne prenez pas de chance même si vous croyez, par certains signes avant-coureurs, que le message a effectivement été capté (par un rêve, une réflexion de quelqu'un, une lecture...etc.); et n'essayez surtout pas de régler ce problème par des efforts conscients et délibérés; cela nuirait ou pourrait empêcher tout travail de votre subconscient.

Contentez-vous de lui transmettre le message, faites vos détentes, pensez à autre chose, développez votre « habitude du bonheur » et la solution se présentera à vous de façon claire et évidente.

Je vous propose toujours des programmations écrites pour trois raisons:

Premièrement, le fait de concrétiser par écrit votre pensée ou votre désir implique déjà un travail de clarification et de précision au niveau de votre conscient.

« Ce qui se conçoit bien, s'énonce facilement et les mots pour le dire viennent aisément. » (Boileau)

Deuxièmement, le fait d'écrire votre pensée, de la « matérialiser » sur papier contribue à renforcer votre désir, à vous impliquer émotivement, autre facteur de réussite.

Et troisièmement, le message écrit demeure exactement « le même » pendant les vingt et un jours, de sorte que le subconscient reçoit toujours les mêmes données sans risque de confusion. Il est évident que vous aurez à subir, au cours de cette période de programmation, certaines pressions, contrariétés ou stress qui pourraient plus ou moins modifier le sens de votre message; aussi est-il plus prudent de vous assurer dès le départ de la constance et de l'uniformité de votre programmation.

Un autre point sur lequel je veux insister est le temps de réalisation que prendra votre subconscient pour trouver la solution idéale à votre programmation.

Si, d'une part, le délai pour capter une donnée est de vingt et un jours au maximum, il n'en est pas de même pour le délai de réalisation. Ce dernier varie d'une programmation à une autre selon la complexité du problème à résoudre. Plusieurs facteurs tant externes qu'internes peuvent influencer le travail de votre subconscient. Mais ne vous découragez pas car, tôt ou tard, vous obtiendrez une réponse. Personnellement, je dois vous dire que la plupart des réponses ou solutions me parviennent plus rapidement que je ne l'aurais imaginé.

Il reste aussi que vous devez accepter cette réponse de votre subconscient comme « la meilleure pour vos intérêts ». Il se peut que vous n'envisagiez pas du tout la façon dont les événements arrivent, mais ne vous acharnez pas à des fixations ou « toquades » vous n'y gagneriez absolument rien et ne feriez que perdre temps et énergie.

Lorsque la réponse se présente, vous la reconnaissez sans l'ombre d'un doute (à moins de faire l'autruche) et qu'elle vous surprenne ou non vous savez au plus profond de vous-même qu'elle vous indique la « bonne route ».

Mais contrairement à un « itinéraire » imposé de l'extérieur, celui-ci vient d'une indication intérieure personnelle et, par conséquent, est conforme à votre profonde conscience individuelle. Dès lors, après un tel cheminement, vous pouvez être parfaitement assuré que vous aurez, en temps opportun, toutes les forces et tous les moyens physiques et mentaux pour accomplir votre tâche; et non seulement vous aurez les forces et les moyens mais vous sentirez du plaisir et de la joie à suivre cette route, à vous réaliser.

Tout ne vous tombera pas du ciel mais vous en aurez quand même l'impression car, pour la moitié des efforts autrefois déployés, vous obtiendrez deux ou trois fois plus de compensations physiques, intellectuelles et spirituelles.

Quant à l'objet de votre programmation, seule votre imagination en limite le choix. Vous pouvez programmer sur tout item désiré; par contre, vous devez voir à ce que vos désirs soient « bons » et conformes aux douze lois cosmiques, car il existe aussi une autre grande loi universelle: « La loi de retour » et si vous programmez d'une mauvaise façon pour vous ou pour les autres, vous en subirez les conséquences un jour ou l'autre.

Chaque individu a, au moins une fois dans sa vie, admiré et même envié tel spécialiste, expert ou virtuose et souhaité avoir un jour cette chance de trouver une sphère dans laquelle il serait le plus habile, le *leader*. Vous avez cette chance avec la programmation. Tout le monde peut programmer, mais vous êtes « unique » dans la programmation de votre subconscient. Vous pouvez développer cet art et en devenir virtuose.

Aucune concurrence possible lorsque vous décidez de prendre le contrôle. Vous serez le maître incontesté de votre domaine, mènerez votre barque contre vents et marées et susciterez l'admiration digne d'un prince.

Et si parfois la gloire est éphémère, celle qui vous auréolera vous accompagnera toute votre vie sans jamais faire défaut et, plus encore, vous survivra, car ce genre de virtuosité laisse toujours de profondes empreintes dans le cœur des hommes.

Le décodage

Se décoder c'est se débarrasser des blocages ancrés au plus profond de soi-même depuis notre conception jusqu'à aujourd'hui.

— LE PRÉSENT DÉPEND DU PASSÉ

— LE FUTUR DÉPEND DU PRÉSENT

Donc, si je désire un heureux futur, paisible et harmonieux, je dois le préparer immédiatement. Il faut que je vive « mon présent » selon l'image que je me fais de « mon futur ».

Mais pour que cela soit possible, je dois d'abord dire adieu à tous les éléments négatifs qui ont réussi à m'atteindre au fil des années et qui m'empêchent d'être aujourd'hui positif à 100 p. cent.

Les psychologues ont découvert que ce qui nuit le plus n'est pas ce que l'individu peut se remémorer, mais plutôt les éléments négatifs qui l'ont profondément marqué au niveau du subconscient et dont il ne peut actuellement se souvenir de façon consciente; d'où la nécessité de se « décoder » pour être débarrassé définitivement de ces aspects négatifs non clairement identifiés.

Si je peux me souvenir d'un événement malheureux,

je peux aussi l'accepter et décider de m'en débarrasser à tout jamais. Mais il y a des milliers de petites ou de grandes déceptions qui m'ont affecté depuis ma conception et dont je ne me souviens plus. Grâce au décodage, je peux enfin m'en débarrasser à tout jamais.

Toute personne peut se décoder elle-même à l'aide de son subconscient. Il s'agit de faire parvenir un message au subconscient, *durant vingt et un jours*, afin que ce dernier aille chercher, dans chacune des étapes de notre vie, tous les éléments négatifs et nous apporte ainsi la liberté intérieure.

On peut aussi espérer être décodé instantanément et intégralement à l'aide d'un rêve ou d'un autre événement, mais cette façon de procéder ne dépend pas uniquement de soi. On peut considérer cette expérience comme un véritable cadeau du ciel lorsqu'elle se produit.

De toute façon on ne perd rien à le demander avant de commencer les vingt et un jours. Voici un exemple de demande pour être décodé en une seule fois:

« Grâce à Dieu et à mes guides, je suis instantanément décodé et débarrassé des entités négatives logées depuis ma conception dans mon subconscient. Je suis maintenant libre de vivre heureux et libre d'aimer. »

Si, par la volonté de Dieu, vous êtes décodé de cette manière, remerciez-le car du jour au lendemain vous vous sentirez libre comme l'air et dégagé d'un grand poids. Mais comme personne ne sait quand cela va se produire il est préférable de s'aider aussi par le décodage personnel de vingt et un jours. Le résultat final du sentiment de libération sera le même (il sera progressif au lieu d'être instantané).

Décodage à faire durant vingt et un jours

1er jour:
Dire au moins une fois par jour durant les quinze premiers jours:

« Mon subconscient, je te demande de me décoder entièrement et de détruire toutes les entités négatives accumulées depuis ma conception et qui nuisent à mon évolution. »

2e jour:
Le subconscient décode de façon progressive et nous libère de chaque étape:

« Toutes les entités négatives inscrites depuis l'âge de 21 ans sont maintenant effacées à tout jamais. »

3e jour:

« Toutes les entités négatives inscrites entre 14 et 21 ans sont maintenant effacées à tout jamais. »

4e jour:

« Toutes les entités négatives inscrites entre 7 et 14 ans sont maintenant effacées à tout jamais. »

5e jour:

« Toutes les entités négatives inscrites entre un et 7 ans sont maintenant effacées à tout jamais. »

6e jour:

« Toutes les entités négatives inscrites au moment précis de ma naissance sont maintenant effacées à tout jamais. Je suis heureux d'entrer dans le monde. »

7e jour:

« Toutes les entités négatives inscrites durant le 9e mois de grossesse de ma mère sont maintenant effacées à tout jamais. »

8e jour:

« Toutes les entités négatives inscrites durant le 8e mois de grossesse de ma mère sont maintenant effacées à tout jamais. »

9e jour:

« Toutes les entités négatives inscrites durant le 7e mois de grossesse de ma mère sont maintenant effacées à tout jamais. »

10e jour:

« Toutes les entités négatives inscrites durant le 6e mois de grossesse de ma mère sont maintenant effacées à tout jamais. »

11e jour:

« Toutes les entités négatives inscrites durant le 5e mois de grossesse de ma mère sont maintenant effacées à tout jamais. »

12e jour:

« Toutes les entités négatives inscrites durant le 4e mois de grossesse de ma mère sont maintenant effacées à tout jamais. »

13e jour:

« Toutes les entités négatives inscrites durant le 3e mois de grossesse de ma mère sont maintenant effacées à tout jamais. »

14e jour:

« Toutes les entités négatives inscrites durant le 2e mois de grossesse de ma mère sont maintenant effacées à tout jamais. »

15e jour:

« Toutes les entités négatives inscrites durant le 1er mois de grossesse de ma mère sont maintenant effacées à tout jamais. »

La première partie du décodage est teminée. Vous êtes maintenant débarrassé pour toujours des éléments négatifs qui s'étaient installés à votre insu.

16e jour:

« Je suis maintenant prêt à vivre d'une façon positive et en harmonie avec l'Énergie cosmique. »

17e jour:

« Je me pardonne et je pardonne aux autres tout ce qui a pu me blesser depuis ma conception jusqu'à ce jour. »

18e jour:

« J'accepte avec humilité mes limites, mais je désire développer mon potentiel le plus complètement possible afin de contribuer à ma propre évolution et à celle des autres. »

19e jour:

« Mon subconscient va trouver dans l'Intelligence universelle tout ce qui est nécessaire à mon développement et je m'engage à vivre pleinement toutes les expériences nécessaires à mon évolution. »

20ᵉ jour:

« Désormais je peux aimer, avec toute la force de mon être, Dieu, mon prochain ainsi que moi-même. »

21ᵉ jour:

« Grâce à l'amour, je me dirige chaque jour vers la connaissance et je suis un être libre. »

Voici quelques observations d'ordre pratique: on ne peut nier l'existence du Soleil parce qu'en ce moment il pleut et qu'on ne peut le voir, n'est-ce-pas? Il se peut qu'après votre décodage vous ayez quelques averses mais cela est tout à fait normal.

Vous aviez tellement l'habitude d'être « pogné » que votre liberté neuve semblera parfois vous échapper. Ne vous en faites pas, comme le soleil revient toujours, aussi beau et aussi chaud, votre force vous reviendra et augmentera de jour en jour.

Votre liberté vous appartient, pour toujours!

Les douze lois cosmiques

1. *J'ai la simplicité d'un enfant*

La simplicité ouvre toutes les portes. Qui peut résister devant elle? De plus, elle permet de s'adapter facilement à tous les milieux et à toutes les circonstances de la vie.

Plus une personne évolue et plus elle étend son champ de connaissances, plus elle réalise ses limites et devient apte à communiquer facilement avec tous les gens sans discrimination aucune.

Avec la simplicité d'un enfant, vous pouvez aller vers tous et tous peuvent venir vers vous.

2. *J'ai la joie de vivre*

La joie de vivre se pratique et se développe par toute personne qui veut s'en donner la peine. C'est un art que de trouver le beau et le bon dans tout ce qui s'offre à nous dans la vie.

Peut-être un peu difficile au début, cela devient par la suite une seconde nature qui nous permet de jouir pleinement de la vie et de ressentir une satisfaction réelle devant chaque événement, aussi simple soit-il.

Il ne faut pas attendre la venue du gros lot pour respirer la joie de vivre. Un bon repas, une lecture intéressante, un travail bien accompli, une relation agréable sont autant de raisons d'apprécier la vie et ses multiples facettes.

3. Je suis miséricordieux

La personne qui sait pardonner, en plus d'être capable d'amour envers les autres, enlève un grand poids à l'intérieur d'elle-même car quiconque entretient haine et rancœur et n'apprend pas la miséricorde se blesse lui-même en nuisant incontestablement à sa propre évolution.

4. Je suis compréhensif

Qui de nous ne ressent pas le besoin d'être compris? Il faudrait peut-être commencer par essayer de comprendre les autres avant d'exiger cette compréhension de notre entourage à notre endroit.

On ne peut toujours partager le même avis, mais il suffit souvent de peu pour rapprocher les idées et les cœurs.

5. Mes intentions sont pures

L'être humain n'est pas parfait et est susceptible d'erreurs.

Mais il est fondamental d'agir en toute loyauté afin de ne pas induire sciemment quelqu'un d'autre en erreur.

Celui dont les intentions sont malhonnêtes finit d'ailleurs par subir le retour de ses pensées malsaines et souffre lui-même de son attitude négative.

6. Je suis positif à 100 p. cent

Vivre en harmonie avec les autres et avec soi-même n'est pas toujours facile, mais on peut cependant y parvenir avec les années. C'est vraiment une « clé-maî-tresse » du bonheur.

Les personnes positives à 100 p. cent multiplient à l'infini leurs chances de succès.

7. Je suis généreux de ma personne et de mes biens

Encore une fois je fais référence à Khalil Gibran sur ce sujet:

« Vous ne donnez que peu lorsque vous donnez de vos biens. C'est lorsque vous donnez de vous-même que vous donnez réellement. »

« Il est bien de donner lorsqu'un est sollicité, mais il est mieux de donner sans être sollicité, par com-préhension. »

« Donnez donc maintenant, afin que la saison de donner soit vôtre et non celle de vos héritiers. »

(Le Prophète)

8. Je suis libre de préjugés

Le préjugé est une idée totalement négative qui, en plus de nuire aux autres, nuit à celui qui l'entretient. Il vous jette un voile devant les yeux et vous empêche de jouir des qualités réelles de celui ou de celle envers qui vous l'entretenez.

Libéré de vos préjugés, vous serez en mesure d'appré-cier pleinement les autres à leur juste valeur.

9. Je comprends la loi naturelle et je l'observe

Vivre en conformité avec la nature apporte à l'homme équilibre et paix.

Nous constatons aujourd'hui les malheureuses répercussions des gestes posés à l'encontre de la nature et nous tentons d'y remédier dans la mesure du possible.

Si chaque personne fait en sorte de vivre en conformité avec sa nature profonde, et la nature en général, elle apporte à la société et à tout le cosmos une contribution grandement appréciable.

10. J'ai le sens parfait de la justice

Nous ne possédons pas tous le solide jugement du bon roi Salomon mais nous sommes en mesure de développer notre sens de la justice. Il suffit d'analyser hommes et événements avant de prendre des décisions. Attention à ne pas porter un jugement trop hâtif sur les circonstances qui entourent nos activités.

Si je développe la justice à l'égard des autres, je m'attire la justice en retour de tous les autres.

11. Je distingue le degré d'évolution des gens

Distinguer le degré d'évolution des gens nous aide à respecter chacun quel qu'il soit et à ne pas blesser inutilement un être dont le degré d'évolution serait différent du nôtre.

Cela ne veut pas dire refuser d'apporter son aide lorsque l'occasion se présente, mais tout simplement choisir la façon de communiquer compte tenu de la réceptivité de son interlocuteur.

12. Je comprends le sexe opposé au mien

La perception d'une même chose ou d'un même événement peut varier considérablement entre deux personnes du sexe opposé.

Faits pour se compléter, il est normal que l'homme et la femme ne soient pas identiques dans leur façon d'envisager la vie.

Il faut donc, tant chez l'homme que chez la femme, pour conserver l'amour et l'harmonie, faire l'effort de regarder les choses avec les yeux de l'autre et recourir aux lumières de son compagnon ou de sa compagne avant de porter un jugement qui soit par trop personnel.

C'est une garantie de bonne entente et de paix.

Programmation de détachement émotif

L'être humain possède une très grande richesse: son potentiel émotif.

Malheureusement, nous perdons parfois le contrôle de nos émotions qui peuvent alors nous jouer de vilains tours et nous faire agir de façon tout à fait imprévisible. Sous l'emprise de ses émotions, une personne peut dire ou faire des choses qu'elle regrette amèrement par la suite.

Cette programmation de détachement émotif ne détruira pas vos sentiments mais vous aidera à être plus objectif et plus calme dans vos relations avec une ou plusieurs personnes. Vous aurez les idées plus claires et serez en mesure de vous exprimer plus facilement de sorte que votre auditeur vous écoutera avec beaucoup d'attention lorsque vous désirerez lui communiquer un message précis.

A lire lentement et à haute voix (si possible) durant vingt et un jours consécutifs, une fois par jour:

Je ne m'inquiéterai pas.

Je ne me tracasserai pas.

Je ne serai pas malheureux à cause de toi.

Je ne me ferai pas de peine à cause de toi.

Je n'aurai pas de craintes pour toi.

Je ne perdrai pas espoir, je ne te blâmerai pas.

Je ne te critiquerai pas, je ne te condamnerai pas.

Je me rappellerai en premier lieu, en dernier lieu et toujours que tu es un enfant de Dieu, que son esprit est en toi.

Je te confierai à cet Esprit pour qu'Il prenne soin de toi, qu'Il illumine ton chemin, qu'Il pourvoie à tes besoins.

Je penserai toujours à toi comme étant entouré de la présence aimante de l'Être suprême, comme étant enveloppé en ses soins attentifs, sauf et en sécurité en Lui.

Je serai patient avec toi, j'aurai confiance en toi.

Je te soutiendrai par ma foi et je te bénirai dans mes prières, sachant que tu trouveras l'aide dont tu as besoin.

Je n'ai que de bons sentiments pour toi, car je suis bien disposé à te laisser vivre ta vie comme tu le désires.

Tes idées ne sont pas nécessairement mes idées, mais j'ai confiance que l'Esprit suprême en toi te conduira dans la voie la meilleure pour toi.

Je te bénirai vingt-quatre heures à la fois[1].

---

1. Je n'ai pas composé moi-même cette programmation que j'avais copiée d'un quotidien où il n'était pas fait mention de son auteur. J'y ai eu recours au sujet d'une personne avec laquelle je pouvais difficilement contrôler mes émotions et je peux vous garantir son efficacité.

Programmation pour devenir un « homme libéré »

On a tellement parlé, ces dernières années, de la libération de la femme, qu'il était presque implicite, dans la conception populaire, que son compagnon, lui, possédait déjà d'emblée cette liberté.

D'instinct, je savais que certains hommes, à l'instar de leurs compagnes, se sentaient prisonniers et mal dans leur peau. Aussi quelle ne fut pas ma joie lorsque je découvris *L'Homme total aujourd'hui* écrit par un homme, Dan Benson, qui a su réaliser et verbaliser ce que je percevais plus ou moins clairement.

Après avoir partagé ma découverte avec des amis du sexe masculin je fus doublement heureuse car, eux-mêmes admettaient la réalité si bien exprimée dans ce bouquin. Seulement, admettre avoir un problème, ce n'est pas le résoudre.

Ces hommes qui prirent connaissance du livre de Benson m'avouèrent désirer, au plus profond d'eux-mêmes, atteindre l'équilibre, devenir cet « homme total » mais que l'éducation et les habitudes fortement ancrées en eux les bloquaient dès le départ.

De là me vint l'idée de la programmation du subconscient par le décodage, d'une part, et par ce texte de Dan Benson, d'autre part, afin d'aider tous les hommes désireux de se libérer, d'y réussir d'une façon aisée et efficace.

A lire au moins une fois par jour, pendant vingt et un jours, après avoir demandé à votre subconscient d'enregistrer ces données et de vous fournir tous les moyens nécessaires pour vous permettre d'être un homme libéré.

Être un « homme libéré » c'est se débarrasser résolument, mais sans se décontenancer, des faux modèles de masculinité imposés par la société pour se tourner vers l'état d'homme plus détendu et plus assuré.

Ceci repose sur le simple fait qu'il n'est pas nécessaire de PROUVER que vous êtes un homme — vous en ÊTES un. Ce qui vous libère et vous permet:

— de faire preuve d'amour, de douceur et de gentillesse;

— de ralentir votre rythme et de vous détendre;

— de considérer votre femme et votre famille comme plus importantes que votre métier;

— d'éprouver de l'émotion — même de pleurer — si vous en avez besoin;

— de prendre le temps d'être en bonne santé;

— d'apporter un plus grand épanouissement à votre femme tant sur le plan émotionnel que sexuel;

— d'accorder plus d'intérêt aux choses les plus importantes de la vie;

— d'apprécier la vie au maximum;

— de dire « non » aux activités qui vous privent de votre temps et de votre énergie;

— de profiter de votre argent avec sagesse, sans que ce soit lui qui vous possède;

— d'être à la recherche d'une autre qualité de succès;

...et de ne pas vous sentir menacé le moins du monde en tant qu'homme. Parce que, au fond de votre cœur, vous serez en train de découvrir une nouvelle dimension de la virilité qui vous apportera plus que mille histoires de grands succès américains. Vous découvrirez la liberté d'être l'homme, le mari et le père que vous avez toujours voulu être.

Vous découvrirez l'homme total.

(Dan Benson, *L'Homme total aujourd'hui*)

Les quatre programmations suivantes concernent: les problèmes conjugaux, le sommeil, la peur et la vieillesse.

N'ayant pas eu personnellement à faire de telles programmations mais sachant qu'elles touchent un grand nombre d'individus j'ai pensé vous faire part des textes du docteur Joseph Murphy sur ces sujets, textes tirés de son livre *La Puissance de votre subconscient.*

Je souhaite que ces textes soient pour vous un point de départ vers une programmation individuelle.

Votre subconscient et les problèmes conjugaux

1. L'ignorance des lois mentales et spirituelles est la cause de tous les malheurs conjugaux. En priant scientifiquement ensemble vous resterez ensemble.

2. Le meilleur moment pour éviter le divorce est avant le mariage. Si vous apprenez à prier convenablement, vous vous attirerez le compagnon ou la compagne qu'il vous faut.

3. Le véritable mariage est l'union d'un homme et d'une femme qui sont liés par l'amour.

4. Le mariage n'est pas en soi source de bonheur. Le bonheur se trouve en méditant sur les vérités éternelles de Dieu et sur les valeurs spirituelles de la vie. C'est alors que l'homme et la femme peuvent contribuer au bonheur l'un de l'autre.

5. Vous vous attirez le compagnon, la compagne que vous souhaitez en méditant sur les qualités et sur les caractéristiques que vous admirez chez un homme, ou chez une femme; c'est alors que votre subconscient vous mènera l'un vers l'autre dans l'ordre divin.

6. Il faut établir dans votre mentalité l'équivalence mentale de ce que vous voulez trouver dans votre partenaire conjugal. Si vous voulez vous attirer celui (celle) qui sera l'associé honnête, sincère et aimant de votre vie, il faut que vous soyez vous-même honnête, sincère et aimant.

7. Vous n'êtes point forcé de répéter vos erreurs de mariage. Lorsque vous croyez vraiment que vous pouvez rencontrer le type d'homme ou de femme que vous idéalisez, il vous est fait selon votre foi. Croire c'est accepter quelque chose comme vrai. Acceptez donc dès à présent mentalement votre compagne, votre compagnon idéal.

8. Ne vous demandez pas comment, pourquoi ni où vous allez rencontrer l'épouse ou l'époux pour lequel vous priez. Faites implicitement confiance à votre subconscient. Il sait ce qu'il convient de faire, vous n'avez pas à l'aider.

9. Vous êtes divorcé mentalement lorsque vous vous complaisez envers votre partenaire conjugal dans le ressentiment, la mauvaise volonté et l'hostilité. Car vous demeurez mentalement dans l'erreur. Soyez fidèle aux promesses de votre mariage: « Je promets de le (ou de la) chérir, de l'aimer et de l'honorer tous les jours de ma vie. »

10. Cessez de projeter envers votre partenaire conjugal des prototypes de crainte. Projetez l'amour, la paix, l'harmonie et la bonne volonté, votre mariage deviendra de plus en plus merveilleux au cours des années.

11. Irradiez l'amour, la paix et la bonne volonté l'un envers l'autre. Ces vibrations sont absorbées par le subconscient et il en résulte la confiance mutuelle, l'affection et le respect.

12. Une femme querelleuse recherche habituellement l'attention et l'appréciation. Elle aspire à la ten-

dresse, à l'affection. Appréciez et louez ses nombreuses qualités. Montrez-lui que vous l'aimez et l'appréciez.

13. L'homme qui aime sa femme ne fait rien envers elle qui soit contraire à l'amour et à la bonté, ni en paroles ni en action. L'amour ne faiblit jamais.

14. En matière de problèmes conjugaux recherchez les conseils qualifiés. Vous n'iriez pas chercher un charpentier pour extraire une dent; n'allez pas discuter de vos problèmes matrimoniaux avec les membres de votre famile ni avec vos amis. Allez consulter un conseiller qualifié.

15. N'essayez jamais de transformer votre femme, ou votre mari. Ces essais sont toujours insensés et tendent à détruire la fierté et l'estime de soi. De plus, cela provoque un ressentiment fatal au lien conjugal. Cessez d'essayer de faire de votre conjoint une seconde édition de vous-même.

16. Priez ensemble, vous resterez ensemble. La prière scientifique résout tous les problèmes. Ayez l'image mentale de votre femme telle qu'elle devrait être, c'est-à-dire joyeuse, en pleine santé, belle. Voyez votre mari comme il devrait être, fort, puissant, aimant, harmonieux et bon. Maintenez cette image mentale et vous ferez l'expérience d'un mariage fait au ciel où règnent l'harmonie et la paix.

Votre subconscient et
les merveilles du sommeil

1. Si vous vous inquiétez de ne pas vous réveiller à l'heure, suggérez à votre subconscient, avant de vous endormir, l'heure exacte à laquelle vous désirez vous lever; il vous réveillera. Il n'a pas besoin de pendule. Faites de même pour tous vos problèmes. Rien n'est trop difficile pour votre subconscient.

2. Votre subconscient ne dort jamais. Il est sans cesse à l'œuvre. Il contrôle toutes vos fonctions vitales. Pardonnez-vous à vous-même et pardonnez à tous avant de vous endormir, la guérison aura lieu beaucoup plus rapidement.

3. Les directives sont données tandis que vous dormez, parfois en rêve. Les courants curatifs sont aussi libérés, et au matin vous vous sentez reposé et rajeuni.

4. Lorsque vous êtes en proie aux vexations et aux luttes de la journée, tranquillisez les rouages de votre esprit et pensez à la sagesse et à l'intelligence logées dans votre subconscient, qui est toujours prêt à vous répondre. Cela vous donnera la paix, la force et la confiance.

5. Le sommeil est essentiel à la paix de l'esprit et à la santé du corps. Le manque de sommeil peut causer l'irritation, la dépression et les désordres mentaux. Il vous faut un certain nombre d'heures de sommeil.

6. Les savants en recherche médicale enseignent que l'insomnie précède les dépressions psychopathiques.

7. Pendant le sommeil vous êtes rechargé spirituellement. Le sommeil suffisant est essentiel à la vitalité et à la joie de vivre.

8. Votre cerveau fatigué a si faim de sommeil qu'il sacrifiera tout pour l'obtenir. Ceux qui se sont endormis au volant d'une voiture l'attesteront.

9. Beaucoup de personnes privées de sommeil ont mauvaise mémoire et manquent de coordination convenable. Elles sont ahuries, confuses et désorientées.

10. Le sommeil porte conseil. Avant de vous endormir, affirmez que l'intelligence infinie de votre subconscient vous dirige et vous guide. Puis soyez à l'écoute de la direction qui viendra, peut-être au réveil.

11. Ayez absolument confiance en votre subconscient. Sachez bien que sa tendance est vers la vie. Parfois il vous répond dans un rêve très vivant, une vision de la nuit. Vous pouvez être prévenu dans un rêve tout comme le fut l'auteur de ce livre.

12. Votre avenir est dans votre esprit dès à présent, il a pour base votre pensée, vos croyances habituelles. Affirmez que l'intelligence infinie vous dirige et vous guide et que tout bien est vôtre, votre avenir sera merveilleux. Croyez-le et acceptez-le. Attendez-vous au meilleur, invariablement le meilleur vous viendra.

13. Si vous écrivez un roman, une pièce de théâtre, un livre, si vous travaillez à une invention, parlez à votre subconscient le soir et affirmez hardiment que sa

sagesse, son intelligence et sa puissance vous guident, vous dirigent et vous révèlent la pièce idéale, le roman, le livre ou la solution parfaite dont vous avez besoin. Les merveilles se produiront tandis que vous prierez ainsi.

Comment vous servir de votre subconscient pour écarter la peur

1. Faites la chose que vous avez peur de faire, la mort de la peur est certaine. Dites-vous à vous-même en le sentant bien: « Je vais maîtriser cette peur », vous le ferez.

2. La peur est une pensée négative dans votre esprit. Remplacez-la par une pensée constructive. La peur a tué des millions d'êtres. La confiance est plus forte que la peur. Rien n'est plus puissant que la foi en Dieu et dans le bien.

3. La peur est le plus grand ennemi de l'homme. Elle est à l'origine des échecs, de la maladie et des mauvaises relations humaines. L'amour chasse la crainte. L'amour est un attachement émotionnel aux bonnes choses de la vie. Eprenez-vous de l'honnêteté, de l'intégrité, de la justice, de la bonne volonté et du succès. Vivez dans la joyeuse expectative de ce qu'il y a de meilleur et, invariablement, cela vous adviendra.

4. Neutralisez les suggestions de peur en adoptant

leurs opposés, tels que: « Je chante à merveille; je suis équilibré, serein et calme. » Vous en recevrez de fabuleux dividendes.

5. La peur est à l'origine de l'amnésie qui survient au moment d'examens écrits ou oraux. Vous pouvez surmonter cela en affirmant fréquemment: « J'ai une mémoire parfaite de tout ce que j'ai besoin de savoir », ou bien vous pouvez imaginer qu'un ami vous félicite de votre brillant succès à l'examen. Persévérez et vous gagnerez.

6. Si vous avez peur de l'eau, nagez. En imagination nagez, librement, joyeusement. Projetez-vous mentalement dans l'eau. Sentez la fraîcheur de l'eau et la joie de parcourir la piscine. Faites-en une vivante sensation. En faisant cela subjectivement, vous serez contraint d'aller à l'eau et de la maîtriser. C'est la loi de votre esprit.

7. Si vous avez peur des lieux clos, tels que les ascenseurs, des salles de conférence, etc., mettez-vous à prendre mentalement l'ascenseur en bénissant toutes ses parties et toutes ses fonctions. Vous serez stupéfait de voir avec quelle rapidité la peur sera dissépée.

8. Vous n'êtes né qu'avec deux peurs: celle de tomber et celle du bruit. Toutes vos autres peurs furent acquises. Débarrassez-vous-en.

9. La peur normale est bonne. La peur anormale est très mauvaise et très destructive. Se permettre constamment des pensées de crainte donne des obsessions et des complexes. Avoir peur de quelque chose de façon persistante crée un sentiment de panique et de terreur.

10. Vous pouvez surmonter la peur anormale lorsque vous savez que la puissance de votre subconscient peut transformer les conditions données et réaliser les désirs chers à votre cœur. Donnez votre attention immédiate et votre ferveur au désir qui est à l'opposé de votre crainte. C'est cela l'amour qui chasse toute crainte.

11. Si vous avez peur de l'échec, donnez votre attention au succès. Si vous avez peur de la maladie, absorbez-vous dans l'idée de la santé parfaite. Si vous avez peur d'un accident, méditez sur la vie éternelle. Dieu est Vie et cette vie est vôtre, dès à présent.

12. La grande loi de la substitution est la réponse à la peur. Quoi que ce soit que vous redoutiez, sa solution se trouve dans la forme de votre désir. Si vous êtes malade, vous désirez la santé. Si vous êtes dans la prison de la peur, vous désirez la libération. Attendez-vous au bien. Concentrez-vous mentalement sur le bien, et sachez que votre subconscient vous répond toujours. Il ne faillit jamais.

13. Les choses que vous redoutez n'existent que sous forme de pensées dans votre esprit. Les pensées sont créatrices. Voilà pourquoi Job dit: « La chose que j'ai redoutée m'est arrivée. » Pensez le bien et le bien survient.

14. Regardez vos craintes en face, places-les dans la lumière de la raison. Apprenez à rire de vos craintes. C'est la meilleure médecine.

15. Rien ne peut vous perturber si ce n'est votre propre pensée. Les suggestions, les délations, les menaces des autres n'ont point de puissance sur vous. La puissance est en vous, et lorsque vos pensées sont fixées sur ce qui est bon, alors la puissance de Dieu est avec vos pensées. Il n'y a qu'une seule puissance créatrice, et elle se meut dans l'harmonie. Il n'y a en elle ni querelles, ni divisions. Sa source est l'Amour. Voilà pourquoi la puissance de Dieu est dans vos pensées de bien.

Comment rester
éternellement
jeune en esprit

1. La patience, la bonté, l'amour, la bonne volonté, la joie, le bonheur, la sagesse et la compréhension, toutes ces qualités ne vieillissent jamais. Cultivez-les, exprimez-les, et restez ainsi jeune d'esprit et de corps.

2. Les médecins disent que la peur névrosée des effets du temps pourrait bien être la cause de la sénescence prématurée.

3. L'âge n'est point l'envol des années mais l'aurore de la sagesse dans l'esprit de l'homme.

4. Les années les plus productrices de votre vie peuvent, si vous le voulez, être celles qui vont de soixante-cinq à quatre-vingt-quinze ans.

5. Accueillez les années. Elles indiquent que vous avancez sur une voie plus élevée, qui n'a point de fin.

6. Dieu est Vie, et votre vie. La vie se recrée, elle est éternelle et indestructible; cela est vrai de tous les hommes. Vous vivrez éternellement parce que votre vie est celle de Dieu.

7. Les témoignages de survie après la mort sont innombrables. Étudiez les procès-verbaux de la Société royale de recherches psychiques de Grande-Bretagne et de la même société en Amérique. Leurs travaux sont fondés sur les recherches scientifiques de savants éminents depuis plus de soixante-quinze ans.

8. Vous ne pouvez voir votre esprit, mais vous savez que vous le possédez. Vous ne pouvez voir l'esprit mais vous le reconnaissez dans l'artiste, le musicien, l'orateur. Vous reconnaissez de même l'esprit de bonté, de vérité et de beauté qui anime votre entendement et votre cœur. Vous ne pouvez voir la vie mais vous savez que vous êtes vivant.

9. On peut appeler la vieillesse le temps de la contemplation des vérités de Dieu du point de vue le plus haut. Les joies de la vieillesse sont plus grandes que celles de la jeunesse. Votre esprit est aux prises avec l'athlétisme spirituel et mental. La nature rend votre corps plus lent afin que vous ayez l'occasion de méditer sur les choses de l'esprit.

10. Nous ne comptons les années d'un homme que lorsqu'il n'a rien d'autre à compter. Votre foi et vos convictions ne sont point sujettes à la décrépitude.

11. Vous êtes aussi jeune que vous le croyez. Vous êtes aussi fort que vous le croyez. Vous êtes aussi utile que vous croyez l'être. Vous êtes aussi jeune que vos pensées.

12. Vos cheveux blancs sont un avantage. Ce ne sont pas vos cheveux blancs que vous vendez mais vos talents, vos capacités, votre sagesse, accumulés au cours des années.

13. Les régimes et les exercices ne vous garderont pas la jeunesse. Tel un homme pense, tel il est.

14. La peur de la vieillesse peut être cause de la

détérioration physique et mentale. La chose que j'ai le plus redoutée m'est arrivée.

15. Vous vieillissez lorsque vous cessez de rêver et lorsque vous cessez de vous intéresser à la vie. Vous vieillissez si vous êtes irritable, bougon, querelleur. Remplissez votre esprit des vérités de Dieu et irradiez la lumière de son amour — voilà la jeunesse.

16. Regardez en avant, car à tous moments vous contemplez la vie infinie.

17. Votre retraite est une nouvelle aventure. Commencez de nouvelles études, ayez de nouveaux intérêts. Vous pouvez faire à présent les choses que vous avez toujours aspiré à faire quand vous aviez à gagner votre vie. Attachez-vous maintenant à vivre la vie.

18. Devenez un producteur et non un prisonnier de la société. Ne cachez pas votre lumière sous le boisseau.

19. Le secret de la jeunesse c'est l'amour, la joie, la paix intérieure et le rêve. En Dieu est la plénitude de la joie. En lui il n'y a aucune obscurité.

20. On a besoin de vous. Certains des plus grands philosophes, artistes, savants, écrivains et d'autres grands hommes accomplissent leurs plus grandes œuvres après quatre-vingts ans.

21. Les fruits de la vieillesse sont l'amour, la joie, la paix, la patience, la douceur, la bonté, la foi, l'humilité et la tempérance.

22. Vous êtes un fils de la Vie infinie. Vous êtes un enfant de l'éternité. Vous êtes merveilleux!

Je remercie les auteurs de ces textes de m'avoir prêté leur plume afin de contribuer à notre but commun, soit d'atteindre et d'aider le plus grand nombre de personnes désireuses d'améliorer leur vie et celle des autres.

Programmation pour cesser de fumer

Avec l'aide de mon subconscient, je trouve le moyen le plus rapide et le plus efficace pour me libérer, de façon définitive, de l'esclavage de la cigarette parce que:

— je veux être libre;

— je veux être en bonne santé;

— je veux respirer mieux;

— je veux goûter mieux;

— je veux conserver mon énergie pour autre chose;

— je veux épargner cet argent pour quelque chose d'utile;

— je veux avoir un beau teint;

— je veux donner l'exemple aux jeunes;

— je veux participer à l'antipollution;

— je veux fournir un meilleur rendement intellectuel;

...et parce que je considère la cigarette comme un élément inutile et nuisible dans ma vie.

Fumer n'est qu'une mauvaise habitude et toutes les habitudes se changent avec l'aide du subconscient.

Programmation pour trouver l'emploi idéal

Avec l'aide de mon subconscient, je trouve l'emploi idéal, étant donné ma formation, ma personnalité, mes goûts et mes aptitudes physiques:

- cet emploi me permet une utilisation maximale de mes ressources;

- mon salaire est satisfaisant, compte tenu de mes obligations;

- mes conditions de travail sont adéquates;

- mon milieu de travail correspond à mon actuel besoin de communication et de relations humaines;

- j'ai de grandes possibilités d'avancement tant intellectuel que pécuniaire;

- je veux conserver cet emploi tant que cela sera nécessaire à mon évolution et à mon équilibre.

Programmation pour atteindre et conserver son poids idéal

Avec l'aide de mon subconscient, je trouve la solution la plus adéquate et la plus efficace pour retrouver mon poids idéal:

— je pèse ... livres dans l'ordre divin et par l'amour divin, et mon métabolisme est normal;

— je me sens bien dans ma peau;

— mon subconscient m'a fait développer des automatismes grâce auxquels je ne mange que ce qui m'est nécessaire et je sens d'instinct quand m'arrêter;

— je n'ai plus aucun problème pour m'habiller;

— grâce à cette stabilisation à mon poids idéal, j'évite de sérieux problèmes de santé présents et futurs;

— chaque jour je me sens de plus en plus en forme et rempli d'énergie.

Programmation pour acquérir l'habitude du bonheur

— le bonheur est un état d'esprit, une habitude;

— en développant l'habitude du bonheur, j'apprends à sourire;

— mon sens de l'humour se développe de plus en plus chaque jour;

— je dis la bonne chose, au bon moment et de la bonne façon;

— rien sur cette terre ne vaut la peine de me faire perdre le calme, la paix et la sérénité en moi;

— je suis né pour le bonheur et le succès et c'est mon choix personnel de les conserver ou de les rejeter;

— je ne laisse pas les événements me bousculer et me donner des ordres, je suis maître de moi-même;

— je demeure moi-même en toutes circonstances et rien ni personne ne peut m'empêcher d'être heureux;

— j'apprécie pleinement les beautés et les joies quotidiennes;

— je suis heureux, simplement... pas heureux, parce que...

— le bonheur est présent et non futur;

— je communique aux autres l'habitude du bonheur.

Remarques supplémentaires sur la programmation

Comme vous le voyez, il n'y a pas de limite à la programmation. Quel que soit le sujet des données fournies à votre subconscient, il y travaillera pour vous procurer la meilleure réponse en vue de votre bien-être.

Je vous suggère d'écrire vos programmations sur de petites fiches afin de les garder, au moins pendant vingt et un jours, à portée de la main.

Calendrier écrit pour s'assurer de programmer pendant vingt et un jours.

La plupart des gens commencent à programmer avec l'intention de poursuivre pendant vingt et un jours mais plusieurs laissent au bout d'une ou deux semaines, ou « sautent » une journée par-ci, par-là.

Ceci est dû à la distraction, à la négligence ou encore au manque de ténacité.

Afin de vous aider j'ai imaginé de faire pour chaque programmation un calendrier de vingt et un jours où vous inscrirez vos propres dates.

PROGRAMMATION: Ma voix est douce, calme et reposante.
Je dis la bonne chose,
au bon moment et de la bonne façon.

4 juillet	5 juillet	6 juillet	7 juillet	8 juillet	9 juillet	10 juillet
X	X	X	X	X		
11 juillet	12 juillet	13 juillet	14 juillet	15 juillet	16 juillet	17 juillet
18 juillet	19 juillet	20 juillet	21 juillet	22 juillet	23 juillet	24 juillet

Dans l'exemple ci-dessus, j'ai commencé ma programmation le 4 juillet et j'ai cinq jours de faits.

Je vous donne ce modèle que vous pourrez facilement reproduire de la façon et au format que vous désirez.

Ecrivez lisiblement (de préférence avec un crayon noir) et adoptez un style clair et précis, toujours au temps présent comme si tout était déjà rentré dans l'ordre que vous souhaitez. Par exemple, ne dites pas: « Avec l'aide de mon subconscient j'arrêterai de fumer dans quelque temps » ou encore « Je ne boirai plus. » Dites plutôt: « Je ne fume plus », « J'ai cessé de boire », « Je suis compétent et efficace »... etc.

N'oubliez pas: si le présent est le résultat du passé, le futur sera le reflet de votre présent.

Faites vivre dès aujourd'hui vos désirs et vos aspirations en les programmant comme « arrivés » et, inévitablement, votre imagination se transformera en réalisations concrètes et tangibles.

L'idéal est de lire à haute voix sa programmation, au moins une fois par jour, ou encore une fois le matin et une fois le soir. Lorsque la journée est terminée, vous inscrivez un X sur votre calendrier.

Post-scriptum

Comme vous l'avez sans doute remarqué, ce livre est dédié à Victor Hugo. Vous vous demandez sûrement pourquoi.

J'admire certainement l'œuvre de Victor Hugo mais ce n'est pas la raison de cette dédicace.

Bousculée par mon échéancier et désirant toutefois réaliser ma tâche dans les délais prévus, je fis appel à quelque grand écrivain afin de stimuler mon inspiration.

Afin de rédiger un minimum de cent cinquante pages dans un très court laps de temps, je décidai donc « à tout hasard » de prendre autant de feuilles blanches, absolument vierges, et de les subdiviser en trois paquets de cinquante feuilles chacun. Je m'étais promis d'écrire les cinquante premières feuilles lors du weed-end suivant.

Quelle ne fut pas ma surprise en apprenant par la suite que ce procédé avait été l'une des méthodes de travail préférée par le grand écrivain Victor Hugo.

Je présume que Victor Hugo répondit à mon appel et m'a sûrement aidée car de moi-même aurais-je pu vous écrire si rapidement le texte de ce livre?

De toute façon, avec ou sans Victor, j'espère de tout cœur que ces quelques pages vous ont apporté plaisir et détente, espoir et lumière et que j'aurai le plaisir de

vous rencontrer avec vos programmations en main afin
que vous puissiez, comme moi, vivre heureux, satisfait
et comblé!

Questions et réponses

1. Que sont les fiches-messages?

Les « fiches-messages » sont une méthode vous permettant de « programmer » c'est-à-dire d'utiliser efficacement votre subconscient pour en obtenir le maximum dans n'importe quelle sphère de l'activité humaine.

2. Pourquoi est-ce important d'utiliser son subconscient?

Tout simplement parce que sa capacité de travail et sa quantité de connaissances dépassent largement celles de votre conscient. De plus votre subconscient est la tour de contrôle de toutes les fonctions automatiques de votre corps et il emmagasine toutes les perceptions de vos cinq sens.

En vous limitant à l'utilisation volontaire de votre conscient et à l'utilisation involontaire de votre subconscient, vous vous limitez vous-même dans les résultats désirés pour la réussite de votre vie. En recourant à cette méthode « d'utilisation volontaire » du subconscient vous programmez celui-ci à vous fournir tel et tel résultat, ce qu'il ne demande pas mieux puisqu'il répond à vos demandes.

Si vous ne nourrissez votre subconscient que d'ingrédients confus, disparates et incohérents, votre vie ressemblera à un puzzle dont les morceaux sont toujours éparpillés à gauche et à droite sans jamais se rejoindre malgré tous vos efforts. Mais si vous lui fournissez régulièrement et avec ténacité des données solides, profondes et génératrices de succès, votre vie prendra un tout autre aspect: les morceaux du puzzle se compléteront comme par enchantement et vous comprendrez enfin comment vous diriger.

3. Comment ai-je découvert cette méthode efficace?

Tout d'abord, comme je vous l'ai déjà expliqué, j'ai programmé sans même savoir ce que je faisais. Par la suite, j'ai appris et compris ce qu'est la programmation et comment fonctionne le subconscient en lisant plusieurs ouvrages sur ce sujet. Tous ces livres m'ont éclairée mais je vous recommande particulièremt: *L'Énergie cosmique* et *La Puissance de votre subconscient*, du Docteur Joseph Murphy ainsi que *Live and be Free thru Psycho-Cybernetics*, d'un chirurgien esthétique, le Docteur Maxwell Maltz.

4. Pourquoi avoir écrit ces fiches?

Parce que de la théorie à la pratique la marge est trop grande pour la plupart d'entre nous. Plusieurs lisent et apprécient des livres sur « l'art d'être positif ». Plusieurs connaissent « en théorie » la puissance du subconscient mais peu savent l'utiliser. Il fallait trouver un moyen concret d'appliquer toutes ces idées et surtout de mettre en pratique la preuve scientifique que le subconscient prend un maximum de vingt et un jours à recevoir une information et à chercher la solution à un problème quelconque.

5. *Faut-il que l'esprit conscient croit à cette méthode pour qu'elle réussisse?*

Non, pas du tout! Dès que vous posez l'action de lire vos fiches (pendant au minimum vingt et un jours) le processus se met en marche indépendamment de ce que vous croyez ou ne croyez pas. Votre subconscient ne fait pas de différence entre le réel et l'imaginaire. Parfois (et même souvent) vous obtiendrez des résultats que votre esprit conscient n'envisageait pas aussi « réussis » et par des moyens qu'il ne pouvait même pas imaginer.

6. *Pourquoi faut-il donner l'information au subconscient pendant au moins vingt et un jours?*

Parce qu'on a prouvé scientifiquement que le subconscient prent un maximum de vingt et un jours pour « avaler » une donnée selon les circonstances. Evidemment, votre subconscient prend souvent moins de temps mais, selon la complexité du problème et plusieurs autres facteurs, il se peut que les vingt et un jours soient nécessaires pour certains cas. Il vous faut donc mettre toutes les chances de votre côté et toujours programmer au moins vingt et un jours pour être certain que votre subconscient va se mettre au travail et rechercher pour vous la solution idéale à votre demande.

7. *Sur quel sujet peuvent porter vos fiches-messages?*

Sur tout item sur lequel vous désirez programmer. Vous avez en main quelques exemples, mais vous pouvez aussi vous en fabriquer à votre goût et à votre choix.

8. *Qu'est-ce que les douze lois cosmiques?*

Ce sont des lois universelles qui s'appliquent à tous les hommes; elles sont imprimées dans l'âme humaine et, instinctivement, l'homme quel qu'il soit tend à les observer s'il ne veut pas fausser l'esprit en lui.

Ces lois sont nécessaires et fondamentales pour:
— se comprendre et comprendre les autres;
— être heureux et aider les autres à l'être;
— trouver la justice, la miséricorde et la sincérité;
— être à l'écoute de sa « vraie » conscience;
— atteindre un haut degré d'évolution.

9. *Devons-nous programmer pour des choses purement spirituelles ou pouvons-nous programmer pour des choses matérielles également? De plus, pouvons-nous « impliquer » d'autres personnes dans nos programmations.*

Comme je vous l'ai déjà dit, nous pouvons programmer pour « tout item » désiré. Par contre, il faut toujours s'assurer que nos désirs sont « bons » et en conformité avec les douze lois cosmiques car il existe aussi une autre grande loi universelle: « La loi de retour » et si vous programmez d'une mauvaise façon pour vous ou pour les autres, vous en souffrirez beaucoup tôt ou tard.

Quant à impliquer d'autres personnes, cela est possible, mais vous vous heurtez à ce moment-là à leur propre subconscient, ce qui rend la tâche un peu plus difficile selon la réceptivité de ces personnes et tout leur contexte environnant. Mais *vous pouvez être assuré* que quelle que soit la difficulté à surmonter, votre subconscient prendra *tous les moyens nécessaires* pour vous conduire vers l'atteinte de votre but.

N'oubliez pas que votre subconscient cherche les réponses et les solutions dans l'« Intelligence universelle » où se trouve toute connaissance et qu'en plus ce même subconscient qui est le vôtre est en communication constante et participe à l'« Inconscient collectif » pour vous aider à être en harmonie avec le reste de l'univers.

10. *Pouvons-nous obtenir « exactement » tout ce que nous désirons et tel que nous le désirons?*

Je serais tentée de vous dire oui, mais évidemment il faut savoir faire la part des choses. D'abord, je peux vous assurer qu'il y a *toujours* un résultat à chacune de vos programmations; en règle générale, le résultat est *tel que vous l'avez imaginé* et souvent, il est *meilleur* mais une chose est certaine, il est toujours la *meilleure solution* que votre subconscient a choisie pour votre propre évolution et celle de la collectivité.

11. *Où et quand utiliser vos fiches-messages?*

Partout où vous avez du temps de libre: à la maison, dans l'autobus dans une salle d'attente, à votre pause-café, le matin, le midi, le soir ou la nuit si vous en avez besoin.

Ne permettez pas à votre pensée d'entretenir de sombres idées: en lisant vos fiches, vous utilisez votre temps d'une façon positive et de plus, comme l'esprit ne peut s'arrêter sur deux idées en même temps, vous vous évitez ainsi de broyer du noir et de vous créer des peurs inutiles.

Dans la même collection

Les clés du bonheur
de Michèle Morgan

Dans son deuxième ouvrage Michèle Morgan approfondit sa méthode et sa réflexion sur la programmation du bonheur et elle nous met également sur la voie de l'harmonie intérieure. Elle nous fait découvrir les avantages d'une triple mise en forme: physique, psychologique et spirituelle. Ce livre-complément de **Pourquoi pas le bonheur** vous amène à une plus grande maîtrise de vos forces et de vos possibilités.

Gagnant dans la vie
de Michel Poulin
L'art d'accroître son bonheur par la pensée positive.

Professeur et fondateur d'une école en croissance personnelle, Michel Poulin livre dans **Gagnant dans la vie** la méthode qui lui a permis de devenir un gagnant dans le grand jeu de la vie. Fruit de son expérience personnelle, cette méthode vise principalement trois objectifs: mieux se connaître, devenir fier de soi et croire en soi. Michel Poulin nous invite à découvrir les richesses et les forces qui sont en chacun de nous et qui peuvent améliorer nos performances tout comme notre vie affective et émotionnelle.

Vous pouvez recevoir à votre domicile ces ouvrages sans frais supplémentaire en envoyant ce bon de commande aux:

Éditions Libre Expression, 244 rue St-Jacques, Montréal, Québec H2Y 1L9 (514) 849-5259

Je désire recevoir:

☐ exemplaire(s) de **Les clés du bonheur** @ 12,95 $
☐ exemplaire(s) de **Gagnant dans la vie** @ 12,95 $
Ci-joint ☐ un chèque   ☐ un mandat postal
☐ à envoyer C.O.D.   ☐ carte VISA OU MASTERCARD
No._____

Date d'expiration_____

Nom_____

Adresse_____

Ville_____·Code Postal_____

Tél.:_____

Ces ouvrages sont aussi disponibles dans toutes les bonnes librairies.

Achevé   Imprimerie
d'imprimer   Gagné Ltée
au Canada   Louiseville